Qui se cache derrière le pseudonyme de **Paul Bëck** *? Paul est-il le véritable prénom de l'auteur à l'instar du héros ? Faut-il y déceler un indice nous signalant que ce roman s'avère largement autobiographique ?*

P'TIT PAUL

PAUL BËCK

P'TIT PAUL

De Borée
Terre de poche

*« Devrais-je me mutiler et me détruire
pour découvrir le secret derrière ces ruines ? »*

Hermann HESSE

I

Paris, 1942. La rafle approchait de notre immeuble et la rue Montorgueil résonnait des piétinements et des coups de sifflet. La police cernait le quartier. Elle pourchassait, traquait les Juifs clandestins et les autres, ceux qui refusaient de se déclarer et que des voisins avaient dénoncés.

Il faisait chaud dans le réduit sous les toits que nous avions aménagés en dortoir. Mon père avait décidé de l'utiliser après s'être assuré qu'il était abandonné et que le concierge en ignorait l'existence. La porte avait été murée il y a bien longtemps et on y accédait par une étroite fenêtre.

Cette nuit encore, nous hébergions des réfugiés hongrois. Ils étaient une dizaine, hommes et femmes ; il n'y avait pas d'enfants. Les hommes serraient leur chapeau entre leurs mains ; certains avaient des chemises tachées de sueur sous les bras, avec un col gris de crasse, et dans leur regard on devinait ce quelque chose qui disait que, déjà, ils n'appartenaient plus à rien ; à aucune rue, aucune maison ; aucun village ; aucune terre.

Les femmes avaient des yeux pâles et hagards, une expression de déroute crispait leurs lèvres, et elles étaient vêtues de sombre pour ne pas se faire remarquer et la couleur de leur robe faisait ressortir la teinte fanée de leur visage.

Ils avaient échoué chez nous pour quelques heures, et demain ils repartiraient et nous ne les reverrions plus. Ils étaient si fatigués qu'ils avaient dû perdre une partie de leur peur en cours de route. Harassés jour et nuit, ils passaient d'un abri à l'autre sans poser de questions. Dans leur détresse ils ne haïssaient personne ; ils tournaient en rond dans la ville avec un tout petit peu d'espoir au cœur, une ligne ténue, un fil invisible qu'ils étaient seuls à entrevoir et au bout duquel se cachait peut-être un rêve. La France, ils voulaient l'aimer malgré tout et à tout prix.

Ce n'étaient jamais les mêmes qui revenaient ; dormir deux nuits au même endroit était bien trop dangereux dans leur situation. Assis côte à côte dans la pénombre ils retenaient leur souffle, comme s'ils voulaient dissimuler leur présence.

Une tenture masquait la fenêtre, empêchant la lumière des bougies de se déverser à l'extérieur. Mon père, la tête penchée, le menton posé sur sa poitrine, donnait l'impression d'un grand calme. Il écoutait. D'une taille un peu au-dessous de la moyenne, il avait une couronne de cheveux gris qu'il ramenait sur le dessus de son crâne pour dissimuler sa calvitie. Il n'avait ni barbe ni moustache, ses traits étaient réguliers, et bien qu'il ne fût pas vraiment vieux il donnait l'impression d'avoir été, dans sa jeunesse, un bel homme. Il avait l'habitude de sourire ou de rire à des moments de la conversation qui ne semblaient nullement justifier une telle réaction, comme s'il percevait une ironie indiscernable pour les autres. Parler avec lui pouvait être déconcertant pour ceux qui ne le connaissaient pas car ses sourires et ses mimiques impliquaient que ses secrètes observations étaient partagées.

Dans la pièce, tous attendaient son signal, celui qui apaiserait nos craintes ou déclencherait notre fuite.

Mon père avait installé une corde le long d'une corniche jusqu'au toit de l'immeuble voisin. C'était notre issue de secours, celle par où nous devions fuir en cas de danger. Chacun de nous gardait un bout de papier avec un numéro inscrit. En cas d'évacuation il fallait respecter l'ordre et ne pas se bousculer. Mon père et moi n'avions pas de numéro. Je devais sortir en premier et lui fermerait la marche.

Depuis un moment, je ne quittais plus ma mère des yeux. Elle était assise, le dos appuyé au mur, les bras croisés sur son ventre. Elle attendait un bébé pour la fin de l'année. Les jours précédents, elle s'était plainte de douleurs ; elle disait que la crainte de me voir arrêté dans la rue lui donnait des crampes. C'était probablement vrai, mais j'imaginais qu'elle cherchait surtout à nous rassurer mon père et moi.

Je suis né en 1932 et je m'appelle Paul, comme l'un des frères de mon père. C'était une sorte de poète protégé par toute la famille qui passait son temps à tousser et à pleurer sur le sort des pauvres de Sgezed, une petite ville en Hongrie sur le bord de la rivière Tisza, avec une grande cathédrale de pierres brunes et blanches, le Dom. C'était aussi le seul de tous les frères qui fréquentait les synagogues les soirs de shabbat.

Mes parents avaient fui la Hongrie quelques années plus tôt pour commencer une nouvelle vie. La famille de Joseph, mon père, possédait des moulins de paprika à Sgezed. Mon père, qui enseignait dans un lycée de Sgezed, avait quitté sa ville après le suicide de son frère aîné Samuel. Ce dernier s'était tué parce que Janos, mon grand-père, avait un matin refusé de payer ses dettes de jeu. Mon père et mes oncles, ils étaient cinq, n'avaient jamais pardonné à Janos et, leur mère étant morte quelques années plus tôt, ils avaient abandonné le domaine pour toujours.

Ma grand-mère paternelle était une femme très connue pour sa culture et ses talents de pianiste dans la société juive de Sgezed et c'est d'elle, paraît-il, que je tiens mes yeux bleus et mes cheveux blonds.

Au fond d'une cour au 55 de la rue Montorgueil, le quartier des émigrés de l'Europe de l'Est, mon père avait créé en arrivant un petit atelier de chapellerie. Martha, ma mère, en était la styliste et dessinait les modèles qu'il fabriquait.

Mes parents s'exprimaient en français avec un terrible accent. C'étaient des gens naturellement gais, mais la guerre s'était posée sur leurs épaules comme un oiseau sinistre et noir, obscurcissant leurs pensées, taisant les rires, annihilant l'espoir.

À présent, les hurlements de ceux qu'on extirpait de chez eux déchiraient la nuit. Il y avait le crissement des semelles ferrées sur le pavé et les galopades de ceux qui tentaient de se fondre dans les ténèbres pour s'enfuir, et aussi les gueulantes des policiers qui, d'un trottoir à l'autre, se lançaient ordres et contrordres, et le bruit des poubelles qu'on renversait et les cris des concierges zélés qui s'agitaient pour faciliter la besogne des tyrans.

Nous n'avions rien à craindre du nôtre. C'était un alcoolique, et bien qu'il fût du genre à donner des renseignements même quand on ne lui demandait rien, nous savions qu'après le déjeuner il disparaissait au fond de sa loge jusqu'au lendemain matin.

Mon père avait la hantise des chiens. Il les avait vus à l'œuvre, et disait que si par malheur on les utilisait pour débusquer les clandestins ils repéreraient notre odeur dans l'escalier et la suivraient jusqu'à notre cachette. Je n'avais pas entendu d'aboiements et j'avais souri à ma mère pour lui indiquer que tout irait bien. La police n'avait aucune raison de nous arrêter ; nous étions des Juifs déclarés et les seuls Juifs de l'immeuble.

C'est après ma naissance que mon père avait obtenu la nationalité française, et le moment venu il était parti à la guerre combattre les Allemands. Tombé malade, il était resté plusieurs mois dans un hôpital près d'Avalon ; puis, n'ayant plus le droit d'être réintégré dans l'armée, il était rentré à Paris.

Dans les mois qui avaient suivi son retour, un de nos voisins, juge, l'avait menacé de nous dénoncer. Il savait que nous étions juifs et nous devions nous soumettre aux ordonnances. Mon père s'était rendu au commissariat nous enregistrer et chercher nos étoiles. Il y en avait neuf en tout, trois par personne. Ma mère les avait cousues sur nos vêtements. Nous devions la porter chaque fois que nous sortions. Nous étions au printemps, et malgré la laine qui me piquait le cou je cachais la mienne sous une écharpe d'hiver ; je refusais d'être montré du doigt. Quand il nous arrivait de croiser le juge ou sa famille, ils traversaient pour prendre l'autre trottoir et, s'il leur était impossible de nous éviter, ils gardaient les yeux obstinément baissés.

Dans la rue les policiers faisaient autant de bruit qu'un régiment et dans le réduit qui nous servait de cachette les murmures avaient cessé.

Ma mère étouffa un sanglot. Je voyais bien qu'elle souffrait. Elle avait le teint clair, mais jamais elle ne m'avait paru aussi pâle. Elle semblait à bout de forces ; elle serrait les dents, le cœur plein de larmes mais les yeux obstinément secs. D'une nature tendre et enthousiaste, elle n'était pas du genre à se plaindre malgré sa santé fragile. Quand elle avait eu sa pleurésie, mon père avait été contraint de me mettre dans un orphelinat à l'île de Ré. Pour moi, j'avais alors cinq ans, le souvenir de ma mère dans son lit d'hôpital est resté plus vivant que celui de la surveillante qui criait et faisait claquer sa baguette sur mes mollets le jour de mon arrivée à l'orphelinat.

Je venais de rentrer de pension. Mes parents, dans le souci de m'éloigner de Paris, m'avaient mis chez une vieille dame à Nanton-sur-Essonne. Elle habitait avec sa petite-fille de dix-sept ans dont le fiancé, un rouquin à la bouche trop large et aux dents comme des meulières, faisait du marché noir avec les Allemands. En l'apprenant, mon père m'avait aussitôt retiré de chez elle.

Ma mère avait eu une grimace de douleur, et une femme assise à ses côtés lui avait couvert les épaules d'un châle. Elle avait fermé rapidement les

paupières en signe de remerciement et j'avais remarqué combien ses cheveux très fins et de couleur claire mettaient en valeur la ligne de ses sourcils.
Mon père, qui l'observait, me semblait en proie à
un violent conflit intérieur. J'imaginais qu'il luttait
contre sa propre angoisse, entre l'impuissance et le
désespoir, et les deux drames qui se déroulaient à
la fois.

En bas, dans cette coulée d'ombre glauque coincée entre les immeubles, la police continuait son
sinistre ratissage. Les lamentations, le désespoir de
ceux qu'on embarquait montaient jusqu'à nous.
La rafle n'en finissait pas, nous ne pouvions rien
voir, mais nous faisions semblant de ne plus rien
entendre. Parfois, de cette foule qu'on rassemblait,
à la fois bruissante et silencieuse, s'élevait un cri de
détresse, le cri d'une femme : un appel aigu qui
rampait le long des façades, entrait par les fenêtres,
dont l'écho martelait indéfiniment les murs du réduit où nous nous terrions. Au-delà de la peur et
du dégoût, une expression de renoncement tragique s'affichait sur les visages ; nous n'avions rien
d'autre à offrir à ces gens, et ils comprenaient que
c'était toujours la même fatalité qui les prenait au
piège et que nous étions impuissants à les en faire
sortir.

Ma mère, s'apercevant que mon père la dévisageait, avait souri. Je n'ai jamais oublié ce sourire.
C'était un sourire d'amour et de tendresse, et aussi

de regret, comme si elle se reprochait d'avoir mal choisi son moment pour lui causer une inquiétude supplémentaire.

Ma mère était née à Budapest. Jeune fille bien éduquée et élégante, elle savait cuisiner, coudre, dessiner et jouer du piano. Mon père n'avait pas été son premier amour ; avant de le rencontrer, elle avait connu un jeune médecin dont elle était éprise et qui lui avait d'abord parlé de sentiment puis de mariage et après d'argent. Ma mère était sans dot, alors il en avait épousé une autre.

Juste avant le début de la guerre, son frère et son père étaient venus s'installer à Paris. J'ai gardé de mon grand-père le souvenir d'un vieillard presque aveugle qui aimait tremper de la mie de pain dans du vin et la sucer. Il ne parlait pas un mot de français et je ne lui ai pas souvent rendu visite. Quant à mon oncle, il faisait des choses dont on ne parlait jamais devant moi et ma mère refusa toujours de le recevoir à la maison.

Soudain, elle se remit à trembler comme une feuille, on aurait dit que l'air lui manquait. Elle se recroquevillait tellement sur elle-même que je ne la voyais presque plus. Une femme avec de gros traits était accroupie à ses côtés. Elle fit un signe à mon père et il abandonna son poste pour se frayer un passage jusqu'à elle.

Dans la rue, les policiers, le geste brutal, œu-vraient toujours, menaçant, rigolant et jurant. La peur des autres les excitait, et, aux fenêtres, les gens qui observaient rigolaient à leur tour et cou-vraient d'insultes ceux qu'on venait d'arrêter, ceux qu'ils avaient dénoncés.

Je m'étais mis debout pour regarder ma mère qui s'était allongée sur le lit en ferraille qui grinçait au moindre souffle. Le travail avait commencé. Personne ne songeait à me préserver de la violence de cet écartèlement. Je tremblais, j'avais peur, j'al-lais perdre ma mère. Mais je ne disais rien et pleu-rais en silence le ventre douloureux. Elle se mordait les lèvres et la sueur perlait sur son front. Elle avait les jambes écartées et sa robe était relevée. La femme près d'elle, après lui avoir palpé le ventre, avait pris un chiffon et s'était essuyé les mains pleines de sang.

La chemise trempée de sueur, mon père secouait la tête. Maintenant, entre les jambes de ma mère, le sang faisait une mare luisante et sombre.

Ils s'étaient tous mis à chuchoter et il me fallut quelques secondes pour comprendre : les gueu-lantes, les cris, les hurlements, les insultes s'éloi-gnaient : la police avait dépassé notre immeuble ! Cette angoisse-là avait cessé.

Aussitôt, mon père ordonna qu'on souffle toutes les bougies sauf une et je retirai la tenture qui mas-quait la fenêtre. La nuit était tiède, du vent venait en rafales douces et j'apercevais un coin de ciel et des étoiles. Je ne pouvais pas regarder le spectacle de sa souffrance. Je m'accrochais désespéré à un quartier de lune.

Ma mère poussa un cri très faible et j'entendis mon père dire que, foutu pour foutu, il allait sortir pour chercher du secours.

Dehors, il y avait des patrouilles de police et les Allemands qui rôdaient ; dans la chambrette, ma mère se vidait de son sang. Autour de moi, ces femmes venues de loin chuchotaient et donnaient des conseils en hongrois, tandis que les hommes, le dos voûté, indécis, gardaient la tête basse.

C'était à mon père de décider et il savait ce qu'il allait faire. Le cœur serré, je le vis se glisser à l'extérieur, un sanglot qui refusait de sortir m'étouffa, je n'avais pas le courage de tourner la tête vers ma mère ; j'avais bien trop peur de découvrir qu'elle était morte.

J'aurais voulu faire quelque chose pour l'aider mais je ne savais pas quoi. Je fixais la bougie comme si c'était un petit soleil. La flamme faisait des ombres bizarres, jetant des bouffées de fumée noire qui montaient jusqu'au plafond. Personne ne s'occupait de moi et c'était bien ainsi. Si j'avais pu m'échapper dans un autre monde, mourir moi aussi.

S'il arrivait quelque chose à mes parents, j'avais pour instruction d'aller chez Mme Perdriau, une voisine qui nous aimait bien. Elle habitait au quatrième étage, allait à l'église tous les dimanches, et portait un chapeau avec une voilette dont ma mère lui avait fait cadeau. Je songeais à la crèche qu'ils faisaient pour Noël, et à Mme Perdriau qui connaissait la Bible par cœur. Pour elle, c'était la lumière des choses, et Jésus, le salut du monde. Alors, comme je l'avais vue faire, moi aussi je priai Jésus.

Aujourd'hui encore, je suis incapable de dire combien de temps dura ma prière et si mon père fut de retour une heure ou cinq heures après. Tout ce dont je me souviens c'est que cette nuit-là et dans son malheur il eut de la chance et revint avec ce qu'il fallait pour arrêter l'hémorragie. Le pharmacien chez qui il était entré n'avait pas refusé de l'aider.

Le jour se levait quand la femme qui s'occupait de ma mère enveloppa quelque chose d'informe dans un morceau de couverture et disparut avec. C'était une petite fille. Moi, je m'étais endormi.

II

LA VIE A REPRIS COMME AVANT, je vivais au jour le jour dans la peur. Un matin, je vis le concierge monter l'escalier. Il n'était pas seul. Trois policiers et un civil très maigre l'accompagnaient. J'eus le pressentiment d'un malheur.

Le concierge disait :

« Ah, vous venez prendre ces salauds de youpins, ces sales voleurs ! Vous avez de la chance, ils sont là. »

Ils s'arrêtèrent au premier étage et poussèrent la porte de l'atelier. Les machines faisaient du bruit ; mon père et ma mère étaient en train de travailler. Mes yeux me piquaient. Mes genoux tremblaient. J'aurais voulu m'approcher pour écouter mais je devais obéir aux recommandations. Je descendis les marches du plus vite que je pouvais malgré mon vertige. Je traversai la cour et entrai dans l'autre bâtiment. Je montai au quatrième étage et sonnai chez les Perdriau. Michel, le fils aîné, m'ouvrit. Il était encore en pyjama, les cheveux ébouriffés.

– Qu'est-ce que tu veux, P'tit Paul ? me demanda-t-il.

Je passai droit devant lui pour aller dans la chambre à coucher de Mme Perdriau. Je m'agenouillai devant le crucifix accroché au mur et, me cachant les yeux, je me mis à prier Jésus.

Madame Perdriau disait qu'on pouvait tout lui demander. Il m'avait déjà entendu, alors je le suppliai d'intervenir encore une fois.

Un peu plus tard, mon père vint me chercher, avec un drôle d'air. Nous nous tenions dans notre petite salle à manger. Il était livide, le front couvert de sueur. J'étais en droit de connaître la vérité : les policiers étaient venus vérifier si les étoiles étaient bien cousues sur nos vêtements ; ils avaient aussi fermé l'atelier après l'avoir fouillé. Ils avaient cloué la porte et mis une chaîne avec un cadenas. Mes parents n'avaient rien pu emporter.

Depuis qu'elle avait perdu son bébé, ma mère avait maigri. Elle avait les yeux rouges ; elle répétait qu'il fallait rendre l'argent aux clientes qui avaient donné une avance pour les chapeaux. Heureusement, nous ne l'avions pas dépensé.

Les Juifs n'avaient plus le droit de travailler et mon père disait que ça ne pouvait plus durer. Mes parents travaillaient dur ; dans le quartier tout le monde les connaissait ; leurs chapeaux aussi avaient du succès. Ils avaient quitté la Hongrie pour trouver une vie calme et tranquille et elle se transformait en enfer.

Cette nuit-là, après la soupe dont le goût rance m'avait donné la nausée, je demandai à mon père de me siffler ses vieux airs hongrois. C'est en sifflant sous la fenêtre de ma mère qu'il avait attiré son attention. Le morceau que je préférais s'appelait *Jonquille*. L'air était gai, rassurant ; on en avait bien besoin.

L'atelier fermé, nous nous mîmes à vivre de la pâtisserie que préparait ma mère. Même pendant les années pauvres, les gens avaient besoin de douceurs pour oublier. Joseph faisait les livraisons et achetait les produits au marché noir. Il rentrait tout le temps avec de mauvaises nouvelles. La guerre ne s'éloignait pas, elle se rapprochait. Des amis à lui disparaissaient. Il disait qu'on les avait déportés. Il ignorait où.

Ma mère se levait tôt pour faire ses gâteaux. Malgré la chaleur elle n'ouvrait pas la fenêtre, l'odeur pouvait attirer l'attention. Nous quittions l'appartement au crépuscule pour passer la nuit dans le réduit. Il n'y avait que nous à présent. Après la visite de la police, Joseph avait fait savoir qu'il ne pouvait plus cacher personne. Sa foi dans la bonté des hommes chancelait ; nous glissions vers un gouffre et nous ne trouvions aucune prise pour nous raccrocher. Nous nous couchions le ventre souvent vide.

Un après-midi, en rentrant de l'école, je trouvai mon père en train de lire un de ses livres. Il lisait toujours les mêmes ; des romans aux bords jaunis et rongés, écrits en hongrois. Ma mère cousait. Un rayon de soleil entrait par la fenêtre et faisait briller le dé et les ciseaux. Je leur annonçai que le nouvel instituteur m'avait giflé parce que je refusais d'enlever mon écharpe. Il avait crié qu'il allait reprendre la classe en main et s'occuper personnellement des Juifs qui faisaient les fortes têtes. Mon père avait posé son livre. Il était tout pâle. Ma mère s'était arrêtée de coudre. Ses lèvres tremblaient. Ils me demandèrent des détails. Je haussai les épaules. Je n'avais même pas pleuré quand dans la classe les autres s'étaient mis à rire. Je savais que mes parents n'avaient pas la possibilité de me défendre ; ça ne servait à rien de les faire souffrir.

Joseph pensait qu'il fallait trouver un endroit pour me mettre en sécurité. Moi, je ne voulais pas quitter la maison parce que ces derniers mois j'avais vécu le plus souvent loin de ma famille. Pourquoi ne pas s'enfuir tous les trois ?

– On ne peut pas, m'expliqua mon père. La police va nous rechercher et nous arrêter. Nous sommes juifs, tu es juif et tu vois ce qui nous arrive.

Je refusais de les quitter. J'en avais assez d'aller chez des gens que je ne connaissais pas.

– Nous te trouverons une colonie de vacances et tu seras très heureux, avait ajouté mon père. N'est-ce pas, Martha, qu'il sera heureux dans une colonie de vacances ?

– Bien sûr, avait-elle répondu doucement.

Je savais bien que c'était difficile, presque impossible, de m'inscrire à une colonie de vacances : j'étais juif.

Je ne retournai pas à l'école. Mon père me donna des leçons de mathématiques. Il ne parlait pas assez bien le français pour m'enseigner autre chose. Quand on avait terminé, il évoquait son passé heureux à Sgezed. Les volets des fenêtres se fermaient quand ses frères et lui déboulaient à cheval dans les rues de la ville.

Ma mère venait souvent s'asseoir près de moi. Elle me caressait les cheveux et me disait de ne pas m'inquiéter. J'avais envie de lui parler de Jésus et de ce qu'il avait fait pour nous mais je préférais me taire.

Maintenant, je n'avais plus personne avec qui m'amuser. Je jouais seul dans l'escalier. Je descendais la rampe à califourchon. Quand j'étais fatigué de remonter l'escalier, j'allais sur le toit. Je m'allongeais. Je regardais le ciel. J'aurais aimé que le monde nous oublie. Nous n'étions pas différents des autres. Des pigeons roucoulaient. Je fermais les yeux. Je m'endormais quelquefois.

Madame Perdriau parla à mes parents d'une sorte de colonie de vacances au long cours qui se trouvait près de la Loire, dans un petit village,

Linières-Bouton. Malheureusement, on ne pouvait pas m'inscrire car j'étais juif. Mon père, lui, était décidé à me faire partir.

– Nous allons essayer, me dit-il d'un ton ferme. À la gare, ils vont faire l'appel. Si quelqu'un ne répond pas, tu prendras sa place. Tu feras très attention ; tu attendras qu'on appelle trois fois le même nom. Si personne ne répond, et seulement à ce moment, tu lèveras la main et tu répondras présent. Tu prendras le nom de celui qui n'a pas répondu. C'est à moi qu'il demandait ce tour de force !

Le matin du départ arriva. La veille, c'était un vendredi, ma mère nous avait préparé un goulasch avec un bout de viande que mon père avait obtenu d'un Hongrois qui travaillait dans un abattoir. Je revois son visage brillant de la chaleur du fourneau, elle m'avait servi en premier, attendant que j'approuve de la tête pour s'asseoir à table.

Ma mère prépara mon baluchon. Madame Perdriau devait m'accompagner à la gare. Joseph, lui, me fit ses dernières recommandations.

– Une fois là-bas, ne dis à personne que tu es juif, mon fils, même à un copain si tu en rencontres un. Tâche de te faire oublier ! Si tu dois te déshabiller devant les autres, garde ton caleçon. Tu es assez grand pour te laver tout seul, et à la salle de bains enferme-toi. Écris à Mme Perdriau uniquement si on te bat ou si tu es maltraité, pas si tu es triste ou si tu t'ennuies. Je viendrai te chercher.

Ma mère me serra dans ses bras et pleura et mon père me tendit la main. J'avais peur de ne plus les revoir, mais dans le même temps je me souvenais de cette nuit dans le réduit, celle où ma mère avait eu une hémorragie et fait une fausse couche, celle où mon père était sorti chercher du secours en bravant les policiers et les soldats allemands. Mes parents, je le sentais au fond de moi, étaient indestructibles.

Nous étions sur le quai. Le train était prêt à partir. Des employés avec des casquettes aidaient les enfants à monter dans les wagons ; des femmes leur envoyaient des baisers. Les autres familles attendaient, groupées comme des moutons. Une directrice faisait l'appel et cochait les noms sur un registre. Deux policiers en uniforme bâillaient.

Je serrais mon baluchon contre ma poitrine. J'avais mal à la tête, le soleil brillait et j'avais froid ; j'avais peur, peur qu'un enfant ne se présente pas, peur de faire une maladresse, d'être découvert, peur de monter dans le train, de quitter ma maison pour l'inconnu et de faire comme si j'étais quelqu'un d'autre.

Je voulais prier Jésus pour que personne ne manque à l'appel, mais Mme Perdriau se tenait derrière moi. Elle avait posé ses mains sur mes épaules. Je m'étais dit qu'elle connaissait Jésus mieux que moi ; peut-être lui demandait-elle d'intervenir pour que je parte.

– Daniel Descamps !

Après un silence, la voix appela à nouveau :

– Daniel Descamps !

Les mains de Mme Perdriau se crispèrent sur mes épaules. Je devais avoir le visage déformé par la peur, mais personne ne faisait attention à moi. Les gens regardaient le train. J'avais comme un brouillard devant les yeux.

– Daniel Descamps ! cria la directrice.

Je n'osais pas bouger. Je ne pouvais pas avancer, mes pieds étaient collés au ciment du quai. Madame Perdriau me poussa en avant.

– C'est toi Daniel Descamps ? demanda une voix. Dépêche-toi de monter dans le train !

J'avançai d'un pas mécanique. Je passai à côté de la femme qui continuait l'appel. Elle me dévisagea et dit :

– Tu es sourd ?

J'entendis des rires.

Le train roulait. J'étais assis sur une banquette. Près de moi, un enfant pleurait. Des hoquets sortaient de sa bouche, son nez coulait. Je ne voulais pas lui ressembler. Je serrais les dents pour refouler mes sanglots.

Je m'appelais Daniel Descamps désormais. C'était tout ce qu'il me fallait savoir.

III

J'AI TOUJOURS SU que je reviendrais au village. Rien n'a changé. Les collines et les vallons s'étendent, paisibles et calmes, avec le vert frais et poudré des vignes, et les couleurs de l'herbe et des fleurs sauvages qu'illumine le soleil flamboyant de juillet. Il n'y a pas un oiseau dans le ciel, rien autour si ce n'est le silence, rien autour si ce n'est le vol troublé des insectes, leur bruissement, et l'odeur de la terre, poussiéreuse de calcaire, sèche. De là où je me tiens, je découvre le paysage ; le bois où l'on ramassait des champignons, les arbres immobiles, le reflet des feuilles, les fourrés, le grand chêne sous lequel coule une ombre pareille à de l'encre et que la foudre a épargné. J'aperçois le sentier, l'église, et les maisons aux volets clos. Je reconnais le pré bordé par un torrent à sec dont seules subsistent quelques flaques, les murets de pierres couverts de mousse jaunie, le moulin, les marronniers et les noyers sous lesquels je m'endormais et où la brume traînait les matins d'hiver.

J'attends un moment avant de descendre la grandrue du village, celle qui mène à la place. Je sais que mes ennuis vont commencer une fois que j'aurai mis les choses en route, alors je ne suis pas pressé. Je dépasse des maisons qui ont des volets en bois et des bacs fleuris de géraniums ; sur ma gauche, le toit de l'école et la cour ; l'église est de l'autre côté, près de la mairie.

La place est vide ou presque. Deux paysans sont assis sur le rebord de la fontaine. Dans l'eau, il y a des petits reflets de vert et d'argent.

J'entre dans le café. Les murs ont changé de couleur ; ils étaient verts ou bleus, ils sont blancs maintenant mais avec les mêmes réclames d'apéritifs. L'homme derrière le comptoir est jeune, avec des cheveux noirs et une moustache. Dans la salle sombre il n'y a que des tables occupées par des gens du village. Ils me dévisagent, détournent la tête et reprennent leur bavardage. Personne ne se souvient de moi.

Je commande un verre de vin rouge et demande :

– Combien y a-t-il d'habitants ?

– Moins d'un millier maintenant, a dit le garçon en reposant la bouteille. Y en a beaucoup qui sont partis à la ville. Vous êtes déjà venu ici ?

– C'est la première fois.

– Vous cherchez quelqu'un ?

– Non, je me suis arrêté par hasard.

– Je m'appelle Jean-Pierre, dit-il.

– Moi, c'est Daniel.

J'ai pris mon verre et je suis allé m'installer dehors. Je bois une gorgée de vin ; il sent la violette. J'attends que le jour finisse, que la nuit d'été descende, que les premières étoiles brillent comme des gouttes d'eau lumineuses et que les fenêtres s'éclairent. Mes rêves d'enfant dans ce village, je les ai oubliés. J'ai une visite à faire, mais j'ai tout mon temps ; à la campagne les gens vivent une éternité.

J'ai sorti le carnet de ma poche. Il est arrivé un jour par la poste. Les pages sont remplies d'une écriture que j'ai mis longtemps à déchiffrer. Une étiquette est collée sur la couverture. Il est écrit : *Journal des misères.*

J'ouvre le carnet. La première page porte une date, celle de l'arrivée de Daniel Descamps dans ce village, il y a vingt ans, le 16 août 1942.

IV

C'EST POUR ÇA qu'ils ont mis leurs habits du dimanche comme quand ils vont à l'église, alors
qu'on est samedi. L'autocar arrive à 4 heures et depuis une semaine y a que ça qui leur trotte dans la
tête, l'arrivée des Parisiens. Hier, au dîner, les trois
sœurs et le vieil Henri ont dit qu'ils étaient d'accord
pour prendre un garçon ; ils veulent pas d'une fille.
Paraît que moi je leur suffis. Le vieil Henri dit qu'un
homme en plus ça ne serait pas de trop, vu que son
fils il est mort il y a longtemps. Les trois sœurs qui
n'ont pas d'amoureux, même Marie, la plus jolie,
étaient d'accord. Chacune, pour des raisons différentes, avait besoin d'un petit garçon à cajoler ; un
enfant, un frère, peut-être aussi un souffre-douleur.

Maurice et sa sœur Françoise sont passés pour
boire le café. Ils sont pas mariés et ils habitent ensemble. La Françoise est pas vieille mais elle aime
pas le reste du monde, même les animaux. C'est une
grande perche avec un caractère de cochon qui parle

en criant et qui pointe le doigt comme si elle accusait les autres de ses malheurs. Ils sont pas du village mais les gens d'ici font plus la différence.

Maurice, c'est l'ami de tout le monde. Les paysans l'appellent M'sieur Maurice parce qu'il a de l'instruction et qu'il a beaucoup voyagé. Je sais pas ce qu'il fait mais il est toujours bien habillé. Hier, il avait une cravate noire avec plein de rayures dorées ; elle brillait comme une flaque d'eau sous le soleil. Il avait aussi des boutons de manchettes en or avec une tête de cheval. Des fois, quand la Françoise nous fiche la paix, il raconte les mystères des Pyramides ; malheureusement, ça arrive pas souvent. Sa sœur fait très bien les gâteaux, surtout celui à la meringue qu'il adore.

Ce matin, comme d'habitude, Odette s'est levée la première. On peut pas se tromper à cause qu'elle a une jambe plus courte que l'autre ; ses chaussures font pas le même bruit quand elle marche. J'ai entendu le cliquetis du trousseau de clés qu'elle met à la ceinture. Elle se croit importante parce qu'elle tient la mercerie du village. Quand elle a poussé la porte de ma chambre, j'ai fait semblant de dormir. Les trois sœurs dorment ensemble et elles sont obligées de traverser la mienne pour sortir.

Odette, c'est une peste. Les autres sont normales, surtout Marie ; mais elle, Odette, elle me déteste et moi je lui rends bien.

Elle m'a secouée et elle a dit que je devais me dépêcher de vider mes affaires de la commode et de me trouver un coin pour les ranger. Je dois aussi faire mon lit et mettre des draps propres. À partir d'aujourd'hui qu'elle a dit, tu dormiras sur le canapé du salon parce que la chambre, elle est réservée au nouveau. Je suis ici depuis six mois mais elle va donner ma chambre à un inconnu comme si c'était un enfant de leur famille. Je m'en fiche. Ça m'est égal de dormir dans le salon du moment que je peux me venger d'Odette. Moi, dans mon cœur, j'aime mieux sentir la rage que le chagrin.

Amancine et Marie ont rien dit. C'est toujours comme ça quand Odette décide quelque chose. C'est la plus vieille, elle a presque quarante ans, et aussi elle est infirme et ses sœurs ont pitié. Moi pas.

Après avoir bu mon lait, j'ai aidé Amancine à faire le dîner. En plus de la soupe, on va avoir du poulet même que c'est un jour de semaine. Amancine, elle tient la maison et la cave ; elle a de grosses joues rouges à cause du vin qu'elle boit devant le fourneau. C'est aussi une couturière. Marie, elle est standardiste à la mairie, et comme y a qu'une seule ligne elle sait tout ce qui se passe et ses sœurs sont après elle pour qu'elle raconte les ragots.

J'ai fait mon lit, j'ai rangé mes affaires, et je suis restée à côté d'Henri. Il sent pas mauvais comme les vieux et il me touche jamais. C'est pas comme mon grand-père qui me faisait asseoir sur ses genoux pour me tripoter. Heureusement qu'il est mort et que ma grand-mère a vite fait de le suivre. Le vieil Henri fait la collection des cartes postales et il me laisse les regarder. Il est un peu sourd, mais il fait exprès pour pas se mêler quand ses filles se disputent.

Après, je suis sortie dans le jardin avec mon lance-pierres. J'ai attendu et un gros merle est venu se poser sur une branche. En tirant les élastiques j'ai pensé fort à Odette. J'ai eu le merle. Il est tombé et ça a fait comme un petit bruit triste. Je m'en fiche. J'ai pris le merle et je l'ai roulé dans une feuille de papier. Y avait une goutte de sang sur son bec.

Odette, elle adore les oiseaux. Elle déteste qu'on leur fasse du mal. C'est comme ça que je me venge. Une fois, elle m'a surprise en train de viser un pigeon. Elle a confisqué mon lance-pierres et elle m'a battue avec des orties. J'ai eu mal et mes cuisses étaient pleines de plaques rouges. J'ai mis du vinaigre sur les plaques et la douleur est passée. J'ai fabriqué un autre lance-pierres mais Odette le sait pas.

J'ai déposé le merle devant sa mercerie. Personne m'a vue. Elle peut pas prouver que c'est moi. Elle va souffrir et pleurer.

J'ai pas envie d'aller à l'autocar les regarder choisir un Parisien. Je suis dans la forêt. Je commence ce journal. Je vais l'appeler Journal des misères. Y faut surtout que je lui trouve une bonne cachette...

Ils sont tous endormis. J'ai allumé une bougie pour continuer à écrire ce qui s'est passé. Finalement, c'était bête de pas aller à l'arrêt de l'autocar pour voir l'arrivée.

Y avait plein de vieux qui donnaient des bonbons aux enfants. J'ai espionné les sœurs. Je les ai vues se pencher sur un petit blond avec des boucles qui a l'air d'un idiot. Il regardait autour de lui comme une poule affolée. « Il est si mignon. Allez, on le prend ! » qu'elle a dit Marie.

« Comment tu t'appelles ? » a demandé la peste avec un sourire.

Elle sourit pas souvent. À moi jamais. Dans ses yeux j'ai vu qu'elle avait trouvé le merle et ça m'a donné un frisson.

« Daniel Descamps, m'dame », a dit l'idiot.

Un couple de paysans le disputait aussi. La vieille lui caressait la tête.

« Comment que tu t'appelles, mon p'tit ? »

« Daniel Descamps, m'dame », qu'il répétait.

« On l'a pris », a crié la peste.

Le curé avec ses yeux tout ronds est vite venu. Il res-semble à un veau. La paysanne dit que les trois sœurs ont déjà un enfant à la maison (moi). Odette a dit que les filles ça comptait pas. Le curé a parlé aux deux vieux qu'il allait leur trouver un autre enfant.

« C'est bête, a ronchonné la paysanne, vu qu'il a l'air tout mignon. »

Le Parisien, lui, était resté accroché à la soutane du curé. Il criait qu'il voulait aller dans une ferme pour s'occuper des animaux.

J'ai pensé que c'était bien fait pour Odette et que j'allais retrouver ma chambre, mais le curé a fait le sourd et il a poussé les deux paysans vers d'autres enfants. Il leur en a donné un avec une grosse tête qu'arrêtait pas de pleurer. Le curé a pas envie de se mettre en travers des sœurs. Sinon, elles l'inviteront plus pour le dimanche. Moi, j'ai refusé d'aller à son catéchisme et Marie a même dit qu'on pouvait pas me forcer.

Au salon, c'est pas trop mal sauf que la porte du vieil Henri est ouverte et qu'y ronfle. Au souper, le Parisien a répondu qu'il aimait le blanc et il a eu droit à celui de tout le poulet. La peste l'a servi alors que d'habitude le blanc c'est pour le vieil Henri. Moi aussi j'aime le blanc, mais la peste m'a jamais demandé ce que je voulais. Peut-être que demain je tuerai un autre merle pour qu'elle souffre.

V

O DETTE, L'INFIRME, s'habillait toujours en noir.
C'était la plus intelligente des sœurs, et aussi
la plus opiniâtre à amener la conversation sur des
sujets que j'aurais aimé voir bannis. Ses yeux bleu
faïence étaient comme un phare dans son visage
tanné et encore beau. Face à elle, il valait mieux ne
pas se laisser aller car elle avait le don de détecter
les moindres faiblesses. On sentait en elle une présence, une force, une intégrité intransigeante. Elle
avait parfois des moments de gaieté comparables
à ceux de ses sœurs et puis, tout à coup, elle s'en-
fonçait dans d'obscures profondeurs. Sous sa cui-
rasse, il y avait une faille.

Amancine prenait la vie comme une chanson
triste qu'elle égayait d'une rasade ou deux de pi-
quette. Peut-être rêvait-elle d'un paradis sans les-
sive, cuisine ou vaisselle. Ses yeux noirs étaient
doux, et elle avait un petit nez rond et une poitrine
opulente où on pouvait se réfugier pour pleurer.

Elle-même rougissait à la moindre liaison. Elle préférait sa cuisine au reste de la maison, et, même dans les moments difficiles, elle n'oubliait jamais de cuire sa tarte et de mettre son ragoût de haricots au feu. Chaque fois qu'elle en faisait, l'instituteur surgissait. Il venait sans sa femme – elle détestait les trois sœurs – pour jouer aux cartes et parler du livre dont il commençait sans cesse le début. Quand il faisait une plaisanterie pour amuser Marie, c'était Odette qui riait.

Marie, la plus jeune, avait sur les lèvres un petit sourire enfantin et aussi une façon particulière de dévisager les gens qui laissait entendre qu'elle était prête à partager ses secrets avec eux. Sa peau était très blanche, piquée de taches rousses ; ses cheveux, longs et bouclés. Elle était délicate, parlait à voix basse, mais il ne fallait pas s'y fier. Une nuit, après le départ de l'instituteur, la lune était pleine et un concert de chouettes m'avait réveillé en sursaut. La porte entre ma chambre et celle des sœurs n'était jamais complètement fermée et je les avais entendues se disputer. Je m'étais levé pour regarder. En chemise de nuit, Odette et Marie se roulaient par terre, s'arrachaient les cheveux, se traitant avec fureur de « voleuses d'hommes » et de « salopes ».

Leur maison faisait le coin d'une rue qui menait à la place du village. Les plates-bandes du jardin étaient plantées de fleurs de couleur vive disposées à intervalles réguliers et, contre les murs, des treillis soigneusement alignés portaient des rosiers grimpants. La grille d'entrée avait des barreaux bleus et tournait dans les deux sens, si bien qu'on pouvait s'y agripper et se balancer d'avant en arrière. Le jardin était coupé de petits chemins de cailloux blancs qui formaient un cercle devant l'entrée principale ; elle ne servait que pour les dimanches et les grandes occasions, en semaine les allées et venues se faisaient par une porte latérale qui donnait dans la cuisine.

Au sud, une succession de vergers longeait un bois. La rivière qui le traversait avait rencontré un obstacle souterrain ; elle formait un coude plutôt brusque, et, sur l'une des berges, les remous et les tourbillons du courant avaient créé une petite plage en déposant du gravillon et des galets. Au printemps, l'eau était fraîche et claire et on pouvait s'y baigner. L'hiver, avec les pluies, elle prenait une teinte boueuse, et durant l'été il ne restait que des flaques zébrées par l'ombre des feuillages. De la fenêtre de ma chambre, j'en avais une pour moi tout seul, j'apercevais les collines avec leurs vignobles, et les toits de tuile du village qui brillaient au soleil du matin comme les écailles d'un lézard. À l'intérieur de la maison, il faisait sombre malgré la lumière éblouissante du dehors et, durant les grandes chaleurs, délicieusement frais. Un poêle chauffait le vestibule et les pièces dont on laissait les portes ouvertes ; le samedi, on allumait les cheminées.

À la sortie du village, il y avait un pré avec des vaches qui ne faisaient rien de la journée. J'avais le droit de les ramener à l'étable. Le vieil Henri m'avait taillé un bâton, mais je n'osais pas les frapper pour les faire avancer ; elles étaient grosses. La fermière rigolait et disait aux vaches que les gens de la ville étaient « bêtes comme chou ».

J'accompagnais le laitier dans sa tournée. Il me réveillait avec sa trompette ; les rayons du soleil éclairaient les coteaux ; la brume s'échappait en traînées, et au milieu des vignes les épouvantails ne ressemblaient plus à des fantômes. Le laitier portait une veste et un chapeau de paysan piquetés de crottes de pigeon. Pour me faire plaisir, il faisait claquer la mèche de son fouet et je tenais les rênes du cheval attelé à la carriole. C'était un vieux cheval qui ne voyait plus très bien ; il connaissait le chemin par cœur et n'aimait pas être commandé. Ses sabots tintaient sur les pavés et les roues de la carriole écrasaient les petits cailloux. Il nous arrivait de croiser la femme du maire sur sa bicyclette. C'était la plus belle femme du village ; elle était toujours bien coiffée et ses lèvres avaient la couleur des coquelicots. « J'espère qu'on te verra aux vendanges », me disait-elle avec un beau sourire.

Ainsi, j'étais libre d'aller où je voulais et je mangeais cinq fois par jour. J'avais une nouvelle vie et

mes parents n'étaient plus le pivot de mon existence, même s'ils me manquaient.

De leur point de vue, et s'ils avaient pu me voir,
la supercherie avait magnifiquement réussi.

Dès mon arrivée, en ma qualité d'« homme » de
la maison, je devins le centre d'intérêt. J'étais
chouchouté bien au-delà de mes espérances, mais
ce n'était pas sans poser son lot de problèmes. Plus
tard, à mesure que j'appris à mieux connaître les
faiblesses des trois sœurs et du vieil Henri, mon
côté excentrique, longtemps réprimé, reprit le dessus. Mais les premiers temps, ce fut un défi permanent, une interminable bataille pour ne pas trahir
mes origines. Plutôt que de m'inventer une famille,
je jugeais plus facile de parler des Perdriau comme
de la mienne. Je décrivais leur appartement, leurs
habitudes, et ma mère, qui avait autour du cou
une croix suspendue à une chaîne d'or et portait
un chapeau à voilette, allait à l'église tous les dimanches.

Je dus également trouver un stratagème pour
m'habituer à mon nouveau prénom. Je disais : Daniel
a faim ; Daniel veut sortir ; Daniel aimerait voir des
animaux, et toutes sortes d'exigences immédiates.
Tout le monde riait sauf Lucie, la fille au lance-
pierres. À plusieurs reprises je lui avais demandé si
elle venait de Paris mais elle n'avait jamais daigné
répondre. Elle avait quatorze ans, des sourcils
aussi noirs que ses yeux et ses cheveux, et prenait

soin de donner à son visage une expression d'hostilité permanente. Marie disait d'elle que c'était une « pauvre fille », une orpheline maltraitée par ses grands-parents. Pour Odette, Lucie n'était qu'une menteuse, mais pas comme auraient pu l'être les autres enfants ; ses mensonges, toujours soigneusement calculés, n'étaient jamais innocents.

Un samedi, je m'étais installé dans la salle à manger pour écrire à mes parents. Lucie, les mains enfoncées dans les poches de sa jupe, m'observait. Ses bras et ses épaules étaient brunis par le soleil et ses jambes portaient des traces de griffures. Les trois sœurs étaient sorties, la maison était silencieuse, et dehors les oiseaux volaient dans tous les sens. Dans le jardin, le vieil Henri s'occupait du carré de légumes pour la soupe et les salades. Il portait en permanence un vieux pantalon de velours avec des rondelles aux genoux ; le cuir de ses bottines était craquelé comme la peau de son visage, et quand il marchait elles faisaient un drôle de bruit. Il avait dû être large d'épaules, mais elles étaient voûtées à présent.

C'était ma première lettre et, hésitant entre Daniel et P'tit Paul, j'avais fini par signer *moi*. L'adresse m'embarrassait, je ne pouvais pas écrire le vrai nom de mes parents sans les faire repérer. À court d'idées, j'en avais inventé une, me demandant si elle attirerait la suspicion du facteur. Il savait à qui on écrivait, qui nous répondait, et ramassait aussi les colis que les gens envoyaient à la Croix-Rouge pour les prisonniers. Le facteur était un homme important dans le village.

Vaguement inquiet, j'étais allé dans la cuisine me faire une tartine de confiture aux abricots. J'étais le seul à pouvoir en manger ; elle m'était en quelque sorte réservée.

Lucie m'avait suivi silencieusement. Elle m'arracha le pot des mains et le vida à toute vitesse.

« Si tu caftes je te crève un œil », me lança-t-elle, agitant son lance-pierres devant mes yeux.

Je n'avais pas oublié les recommandations de mon père, et je me tenais à l'écart des autres enfants, mais je sentais que Lucie était différente et j'aurais voulu l'amadouer. Malgré mes efforts, elle me considère de longues semaines avec un mépris à toute épreuve.

VI

DANS UN PETIT VILLAGE où chacun connaît tout le monde, j'ai mis des années à admettre que l'un de ses habitants était un meurtrier. Si je me suis tu, c'est peut-être par faiblesse ou pour me forcer à agir, me décider une fois pour toutes. Certains morts vivent encore mais pas à la manière dont les Juifs et les chrétiens l'imaginent. À ce point de mon existence, j'éprouve la nécessité de me libérer de cette tâche comme on rembourse une dette.

Malgré la chaleur, je n'ai pas bougé de la terrasse. Derrière les peupliers, la grande roue du moulin qui autrefois faisait monter l'eau est immobile. Je me demande comment les choses auraient tourné si ce matin de juin le vrai Daniel Descamps s'était présenté sur le quai ; mes parents m'auraient envoyé ailleurs et j'aurais franchi le seuil d'une autre existence comme on franchit celui d'une porte, par erreur. Je songe parfois à cette autre vie comme à un autre train, sur un autre quai, dans une autre gare. Compte tenu de l'époque, cette existence imaginaire me paraît aujourd'hui bien plus périlleuse que celle que j'ai vécue.

Je fais ce voyage pour réparer une injustice, rétablir une vérité. Pas de celles qui figurent dans les livres d'Histoire ; une autre. Elle tourmente ma conscience parce que je n'en ai jamais parlé. Je sais qu'après je perdrai le sentiment de culpabilité qui m'étouffe quand je songe à la guerre et à la chance qui m'a épargné.

VII

J'AI DÉCHIRÉ DEUX PAGES de mon journal ; elles étaient pleines de taches parce que j'avais peur qu'on me découvre quand je les ai écrites. Mon cœur s'est mis à battre fort quand la peste est entrée et m'a demandé ce que je faisais.

Je dois écrire seulement quand ils dorment ou quand je vais dans les bois. J'aime bien être dans les bois avec l'odeur des feuilles sèches. Quand je ferme les yeux j'entends le bruit de la rivière. C'est plus qu'un ruisseau et des fois je pense que je suis une brindille qui flotte et qui s'en va bien loin avec le courant. D'autres fois, quand j'ai pas envie de flotter, je me vois couler avec une grosse pierre sur le ventre pour plus remonter.

Je pense à la mort. J'y pensais avant la guerre, et quand je cherche dans ma tête j'y ai toujours pensé.

C'est facile de mourir ; y suffit de fermer les yeux et de partir sans résister. Vu que personne sait où on arrive, certains jours sont mieux que d'autres, c'est tout.

Le Parisien s'appelle Daniel Descamps. Depuis qu'il est arrivé, la peste me fiche la paix. J'ai lu dans ses yeux qu'il aimerait qu'on soit amis. Ça plaira pas à Odette ; elle est jalouse et elle me disputera. Je fais celle qui est pas intéressée. C'est tant pis pour le Parisien et aussi un peu pour moi. J'ai aucun ami ici.

J'ai manqué l'école mais à la rentrée peut-être que je me ferai des connaissances.

J'espère que le Parisien passera l'hiver au village ; ils font plus attention à moi depuis qu'il est venu.

Dimanche, on a tué deux pintades en l'honneur de l'instituteur, du docteur et aussi du curé. J'ai mangé dans la cuisine ; j'aime pas rester à table, mes jambes me grattent, c'est comme si je m'étais assise sur une fourmilière. Quand y a des invités, Marie veut pas qu'on se lève avant la fin du repas, elle dit que c'est pas poli.

L'instituteur, il revient de la ville avec les nouvelles. Il a expliqué que sur les murs y avait des affiches qui disaient que les ouvriers devaient partir travailler en Allemagne pour que les prisonniers reviennent. Y paraît qu'il faut trois ouvriers pour un prisonnier. C'est comme un devoir, et là-bas, les jeunes ils pourront apprendre un bon métier. Il a aussi entendu qu'à Paris la police avait embarqué des Juifs. Bientôt, c'est ce qu'il a dit, on demandera plus aux Français de partir dans les usines, on les enverra de force.

Ils se sont mis à crier en même temps et le vieil Henri a crié plus fort en disant qu'à table, fallait parler d'autre chose que des Juifs et des Boches ; c'était que des foutaises qui concernaient pas les gens des campagnes.

Le Parisien a failli s'étouffer. Marie lui a donné des tapes dans le dos et il a pu respirer. Le docteur a froncé les sourcils et le curé s'est essuyé le front avec le mouchoir qu'y tient dans sa manche. Il a rappelé que Dieu avait envoyé son fils au secours des pêcheurs et il a levé son verre en demandant à Jésus qu'il pardonne leurs péchés.

Marie m'a envoyée chercher du vin à la cave, et quand je suis revenue le curé faisait la leçon au Parisien.

« Alors, qu'il lui a dit, où que t'en es de ton catéchisme ? »

Bien assis sur ses petites fesses, le veau pouvait pas s'empêcher de faire des simagrées.

« Dans trois ans tu feras ta communion solennelle, Daniel ; t'entreras dans la vie d'homme. Faut que t'apprennes à connaître et à aimer plus Dieu. Je t'attends le samedi pour le catéchisme », qu'il disait.

La figure du Parisien, de rouge elle a tourné au blanc. Il s'est fourré la bouche de pommes de terre pour pas répondre.

Je crois qu'il aime pas trop le catéchisme, mais il avait un drôle d'air, comme quand il avait débarqué de l'autocar. C'était une poule affolée qui sait plus par où se faufiler.

Comme d'habitude, la peste a pas pu s'empêcher de donner raison au curé. Elle trouve que dans la vie y a pas que les amusements ; les enfants ont trop de vacances et le catéchisme fait pas de mal. Le docteur, lui, a poussé des grognements comme s'il allait se bagarrer. Marie disait rien mais ses yeux étaient pleins de colère. Elle sait qu'Odette a dit ça exprès pour l'énerver. Elle dit toujours le contraire de ce que Marie pense. Odette, elle se fiche du catéchisme. C'est l'instituteur qui l'intéresse, vu qu'elle a mis son chemisier jaune, celui qui la serre pour qu'on voit sa poitrine.

Le curé a encore montré le plafond avec son doigt en disant que le catéchisme c'était pas une obligation mais une récompense ; c'est une grande joie à laquelle on peut passer ses vacances, vu que les enfants ont besoin de Jésus pour les guider.

Le curé a cru qu'il avait gagné. Y s'est frotté les mains et il a continué avec des questions au Parisien sur son catéchisme. Le Parisien a fait le muet. Il croit que le curé va se fatiguer et le laisser tranquille.

Heureusement que le vieil Henri est venu l'aider. Il a débouché la bouteille de vin et il a fermé son canif avec un coup sec et il a dit que lui, il préférait que Daniel reste le samedi à la maison vu que son souci au vieil Henri c'était d'être seul avec quatre femmes. Le vieil Henri a eu un fils qui est mort-né et le Parisien est une sorte de remplaçant.

« Je sais pas si ça plaira à ses parents qu'il aille pas au catéchisme », qu'il a grogné le curé.

Le vieil Henri a haussé les épaules. Il est plus têtu que le curé.

Le curé a compris qu'il avait perdu. Il a bu deux verres de vin et il a demandé à Amancine de lui donner encore de la pintade. Il veut savoir comment elle l'a préparée et combien de temps elle l'a gardée dans le four.

« De toute façon, Daniel doit venir à la messe du dimanche. C'est le devoir de tout chrétien d'y aller. » Il parlait avec la bouche pleine, c'était dégoûtant.

Les sœurs étaient d'accord. Amancine a dit que le Parisien avait une belle voix et même qu'il pouvait chanter dans la chorale. Le curé a hoché la tête et on aurait dit un vrai veau.

Le vieil Henri fait le sourd ; il va plus à la messe depuis la mort de son fils.

Je serais bien restée pour les espionner en cachette, voir s'ils disent des choses contre moi ; mais j'ai pas envie de débarrasser la table et d'aider Amancine à faire la vaisselle. Je suis partie avant qu'ils apportent le dessert.

Moi, s'ils m'avaient demandé de chanter dans leur chorale j'aurais dit non.

Je vais m'arrêter pour lire mon livre, Goupi Mains-Rouges. Je veux bien savoir qui est l'assassin.

J'espère que les Parisiens portent pas malheur et qu'on aura pas de crime. C'est ce qui est arrivé quand Goupi Monsieur, le Parisien, est revenu à la campagne pour voir sa famille...

Lundi, je me suis brûlé les doigts avec le fer à repasser. J'ai hurlé. C'est la peste qui m'a soignée en me traitant de maladroite. La peau était toute décollée. Aujourd'hui ça va mieux.

J'ai pas écrit depuis plusieurs jours et j'ai pas non plus tué d'oiseaux. Y s'est passé trop de choses et je sais pas par où commencer.

J'ai un secret. Un vrai. J'y pense la journée et le soir quand je ferme les yeux, j'y pense comme ça, je suis sûre que ça sera dans mes rêves.

Je peux pas en parler car ce serait plus un secret. Personne comprendrait et même que ça ferait des histoires.

Avant-hier, au lieu de marcher vers la clairière, j'ai pris le sentier pour le bois de châtaigniers. De là, on voit plus le village, on voit que le clocher de l'église qui sort des collines. J'ai traversé des broussailles qui m'ont griffé les jambes.

Quand je suis arrivée, j'ai enlevé mes espadrilles et je me suis assise dans l'herbe pour regarder le ciel.

Le soleil faisait des taches devant mes yeux. Je savais plus si on était le matin ou l'après-midi. Les oiseaux chantaient et l'écorce des arbres craquait avec des bruits drôles.

J'ai dû m'endormir et quand j'ai ouvert les yeux j'ai entendu quelqu'un venir. J'ai pensé que ça pouvait être des amoureux. Ils viennent pour s'embrasser loin des espions et des merdeux qui leur jettent des pierres.

C'était pas des amoureux, et quand je l'ai vu mon cœur a fait un saut dans ma poitrine. Y s'est approché en regardant le sol comme s'il avait perdu quelque chose. Peut-être qu'il était revenu pour ça.

Il s'est assis dans l'herbe près de moi.

– Alors, qu'il m'a dit, c'est là que tu te caches pour attendre ton amoureux ?

Je voulais me sauver parce que je me méfie des gens. Une fois, un homme m'a suivie dans le bois à la tombée de la nuit.

Il a arraché un brin d'herbe et s'est mis à le mâchouiller. Je sais pas pourquoi mais à ce moment j'ai trouvé qu'il était très beau et que sa voix était pas comme d'habitude.

Il porte une chemise blanche. Ses yeux avaient la couleur des feuilles avant qu'elles tombent, verts avec des petits points marron.

– J'ai pas d'amoureux, je lui ai dit.

Il a craché le brin d'herbe et y s'est mis à rire.

– Ça m'étonnerait. Une belle fille comme toi.

C'est la première fois qu'on me regarde et qu'on me parle comme ça ; personne s'est jamais intéressé à moi, pas lui en tout cas. Des fois j'en rêvais mais sans croire que ça pouvait arriver.

Mes joues me brûlaient. J'ai baissé les yeux, et j'ai fait, moi aussi, semblant que je cherchais quelque chose.

J'ai envie qu'il continue à parler pour entendre sa voix. J'espère qu'y se moque pas de moi.

J'ai pas le droit de dire son vrai nom même dans mon journal. Ça fait partie du secret.

J'ai décidé de l'appeler Louis ; c'est mon prénom préféré. Quand on le prononce, c'est comme si on envoyait un baiser avant de sourire.

– Tes mollets sont griffés par les ronces, m'a dit Louis.

Il m'a regardée comme si c'était mal d'avoir des griffures sur les jambes. J'ai pas répondu.

Il a sorti un mouchoir et il a mouillé un coin avec sa langue.

– La salive tue les microbes, qu'il a dit.

Il s'est penché sur moi pour voir de plus près mes jambes. Mes pieds tremblaient.

– Allons, n'aie pas peur. Ça fait pas mal.

J'avais pas peur. Il a essuyé doucement mes éraflures. J'ai pas osé bouger. Après, il a tourné son visage vers moi pour que je voie son sourire. Ses dents étaient très blanches et je sentais son odeur. Louis, il a fait alors une chose bizarre, il s'est mis à lécher une griffure que j'avais près du genou.

Mon front était plein de sueur et j'avais comme une boule. J'ai pas eu le courage de lui dire d'arrêter parce que j'avais peur qu'y s'arrête. En moi

c'est comme si j'étais contente et aussi un peu ef-
frayée.

Maintenant, il peut bien m'arriver n'importe
quoi, je m'en fiche. Mes jambes étaient toutes molles
quand les lèvres de Louis sont venues sur mes cuisses.
Il m'a touché la poitrine. Quelque chose a bougé
dans mon ventre, et puis c'est monté dans ma tête.
J'ai fermé les yeux et je me suis couchée dans l'herbe.
Il a soulevé ma jupe et baissé ma culotte. Son ha-
leine était très chaude. Je sentais sa bouche entre
mes jambes. J'ai caché mon visage entre mes mains.
Ça venait de partout et c'était très bon.

– Tu es toujours vierge, qu'il m'a dit après, mais
tu vas jurer de rien dire à personne. Je suis sûr que
tu sais garder un secret.

J'ai hoché la tête et il m'a embrassée sur la bouche.

Après, j'ai eu froid et je suis allée me mettre au so-
leil. Mes oreilles bourdonnaient et ma bouche était
sèche.

« Ça fait longtemps que je pense à toi, m'a dit
Louis avant de partir. Je pouvais plus attendre. »

Moi aussi je pouvais plus attendre. Je l'aime tant.
J'ai pas osé lui dire. Je crois que je vais plus penser
aussi fort à la mort qu'avant.

VIII

DEPUIS LE DÉJEUNER DE DIMANCHE, le curé et ses histoires de catéchisme, j'étais au supplice. Heureusement personne, y compris le docteur, ne s'était
aperçu de ma frayeur et de mon mal au ventre.

J'ignorais tout des religions ; mes parents ne
m'avaient rien appris, pas même à être juif. Chez
nous, on ne faisait pas shabbat et je n'étais jamais
entré dans une synagogue. Mon père m'avait simplement prévenu qu'à cause de la guerre et des Allemands les gens avaient des réactions différentes
à propos des Juifs ; il valait mieux se cacher ou
s'enfuir pour ne pas risquer d'être arrêté.

Allongé sur mon lit, les yeux ouverts dans le noir,
je pensais au malheur qui pourrait arriver si on découvrait la vérité. J'avais mal à la tête, des taches
lumineuses montaient et descendaient devant mes
yeux. J'essayais de me convaincre que tout cela
n'était pas grave ; les trois sœurs, le vieil Henri, le
docteur étaient de mon côté, enfin de celui de

Daniel Descamps. Qui était du côté de P'tit Paul ? Le docteur, peut-être. C'était un homme bizarre ; on ne l'aurait pas pris pour un docteur. Il ressemblait à un paysan, parlait comme eux et faisait les mêmes gestes. Il portait un béret, un costume râpé, et ses yeux étaient très bleus et très rusés. Les sœurs disaient que pour quelqu'un de la ville il avait de l'intuition. Il allait souvent dans la forêt chercher des herbes pour préparer des médicaments.

À la fin du repas, ils s'étaient mis à parler de la guerre et le docteur avait annoncé que cinq mille Juifs avaient été arrêtés en zone libre par la Gestapo. Le curé avait nié ; pour lui, c'était de la propagande parce que la Gestapo, d'après les accords, n'avait pas le droit d'aller en zone libre. Le docteur avait rappelé à tout le monde que Jésus était juif et que le salut des Juifs était donc le premier devoir des chrétiens. Le curé s'était emporté. Il avait menacé du châtiment éternel ceux qui choisissaient le chemin du mensonge et du péché.

« L'âme a besoin du soutien de la foi pour s'épanouir, comme une jeune plante a besoin d'un tuteur pour pousser droit », avait-il conclu.

Le docteur, ce n'était pas la première fois qu'il s'empoignait avec le curé à ce propos, disant qu'il y avait une explication raisonnable pour beaucoup de choses, et que cela ne servait à rien de se réfugier dans des comparaisons stupides comme le faisait l'Église chaque fois qu'elle refusait la vérité.

Il avait ajouté que pour lui cette comparaison était stupide parce que les plantes les plus utiles, celles dont on tirait des remèdes, n'étaient ni belles ni colorées ; c'étaient des touffes noires qui jaillissaient à l'abri des regards et de la trop forte lumière.

Comme d'habitude, l'instituteur n'avait pas ouvert la bouche. Prudent, il préférait se taire chaque fois que les gens n'étaient pas d'accord ; une habitude qu'il avait acquise chez lui pour avoir la paix avec sa femme.

En tout cas, il voulait revenir manger du ragoût de haricots et continuer à parler de son livre.

Le curé ne m'avait pas interrogé pour faire l'intéressant ; il cherchait à savoir si j'étais vraiment un bon petit chrétien. Peut-être avait-il des soupçons.

Je savais qu'à la messe on récitait des prières, et dimanche, ils allaient tous s'apercevoir que j'avais menti. J'ignorais la manière dont ils réagiraient en apprenant la vérité ; ils pouvaient me renvoyer à Paris ou me dénoncer. Je ne me sentais plus en sécurité.

Pour la première fois depuis mon arrivée, mes parents me manquaient à m'étouffer. Je serrais les dents pour ne pas céder à l'envie de pleurer. Je n'avais rien emporté avec moi ; pas d'objets, pas de lettres, aucun souvenir, quelque chose qui pourrait me rappeler d'où je venais. C'était dur de remplir ce vide. J'aurais voulu me cacher sous les draps et n'en sortir qu'une fois la guerre terminée.

J'essayais de me souvenir des odeurs de notre cuisine, de la pâtisserie que ma mère faisait, du chou qui cuisait pour la choucroute au paprika.

J'avais capté le regard de Lucie quand le curé m'avait pris à partie et j'étais convaincu qu'elle ne l'aimait pas. Elle aurait pu m'aider même si nous n'étions pas amis, juste pour le faire enrager. J'avais peur de parler de ça avec elle. Je n'oubliais pas les conseils de mon père : ne partager mon secret avec personne !

Je ne pouvais ni m'enfuir ni écrire à mes parents, ou risquer de me trahir si on me posait des questions. Ici, j'étais quelqu'un d'autre. D'ailleurs, je me demandais qui j'étais. J'étais juif, mais je le cachais comme on cache une faute que les autres sont seuls à comprendre.

Cette nuit-là, j'avais rêvé que le curé me traînait par l'oreille dans les rues du village. Il avait un sourire cruel. Les gens criaient sur mon passage : « C'est un faux chrétien. Il faut le renvoyer d'où il vient. On ne veut plus le voir ici. »

Je regardais la foule, cherchant si le docteur s'y trouvait. Peut-être allait-il venir à mon secours. Autour de moi, il n'y avait que des visages ricanants, pareils à des masques de carnaval.

Le lendemain, j'avais accompagné le laitier dans sa tournée. Le soleil éclairait les toits de tuile et le ciel était d'un bleu tout frais.

– Vous alliez au catéchisme quand vous étiez petit ? lui avais-je demandé.

Le laitier avait haussé les épaules et regardé ses mains pleines de crevasses.

– Le catéchisme et tous ces trucs, faut s'en méfier, p'tit gars.

J'étais prêt à enregistrer le moindre détail. Le cheval avançait lentement ; il connaissait la distance entre chaque arrêt et ne se posait aucune question.

Le laitier restait silencieux. Une grimace crispait son visage ; on aurait dit que, dans sa tête, il venait de soulever le couvercle d'une vieille malle. Je n'avais pas osé lui demander ce qu'il y avait dedans.

Après la tournée, j'avais eu une autre idée. J'avais pris en cachette la clé de la cave et profité qu'Amancine était occupée à la cuisine pour y descendre voler deux pots de confiture aux abricots.

Ma mère aurait été folle de joie si j'avais pu lui montrer ce qu'il y avait dans cette cave ; elle y serait restée des jours et des jours pour manger jusqu'à s'en rendre malade. Quand elle avait failli mourir, nous commencions à manquer de nourriture, et elle avait besoin de manger à cause du sang qu'elle avait perdu. Pourtant, elle se privait et me gardait toujours une part de son assiette. Elle me réveillait au milieu de la nuit ; je sentais sa main chaude se poser sur mon front. « Mange, me disait-elle, je sais que tu as faim. C'est terrible d'avoir faim quand on a ton âge. » Je secouais la tête, embrassais sa main en lui murmurant de ne plus me réveiller. Elle me souriait, ne parlait plus de nourriture, et je devinais qu'elle avait compris ce que je ne voulais pas lui dire.

La cave était une grande pièce avec une fenêtre qui laissait passer des rayons de lumière. Les étagères étaient remplies de bocaux de fruits qui baignaient dans du sirop de sucre et de légumes du jardin déjà cuits ; de gros fromages ronds à la croûte brune s'empilaient dans un coin ; des jambons enveloppés de chiffons et des saucissons étaient accrochés à des clous. Il y avait des sacs de pommes de terre, de haricots secs et de lentilles, beaucoup de bouteilles de vin, et deux pièges à souris qu'Amancine amorçait avec un morceau de lard frais.

Nous prenions une à deux souris par semaine. Amancine les offrait à Jean Valjean. C'est comme ça qu'elle appelait un chat roux et blanc qui vivait au fond de la rue.

Les deux pots dans ma musette, j'étais parti à la recherche de Lucie. Je la trouvai au beau milieu du pré, assise sous un arbre. En m'approchant je l'avais vue cacher quelque chose sous sa robe ; ainsi, je n'étais pas le seul à avoir un secret.

Elle n'avait pas l'air contente mais je commençais à avoir l'habitude ; elle était tout le temps comme ça.

– Qu'est-ce que tu veux ?

J'avais posé les deux pots de confiture devant elle et vu qu'elle était intéressée.

– C'est pour toi, avais-je dit en m'asseyant.

– C'est ma préférée. Quand j'en mange je suis au paradis, avait-elle répondu.

Elle m'avait demandé ce que je voulais en échange. J'étais mal à l'aise.

– La messe...

– Quoi la messe ?

– Je suis obligé d'y aller dimanche.

– Non, t'es pas obligé. Moi j'y vais plus.

Sa robe avait la couleur du pré.

– J'ai dit que j'irais, faut que j'y aille.

Son visage était plus pâle que d'ordinaire, avec deux taches roses sur les joues.

– J'ai pensé que tu pourrais m'aider... pour réviser mes prières. À Paris, je n'y vais pas souvent moi à la messe, ça fait des disputes entre mes parents.

Je pensais au curé et au docteur et à leur désaccord sur la religion.

– Des disputes ?

– Oui. Mon père n'est pas d'accord.

– Il est pas catholique ?

J'étais allé trop loin. Mon esprit s'embrouillait ; chrétiens, catholiques, catéchisme, et Jésus qui maintenant était juif et en même temps chrétien.

– C'est une sorte de fonctionnaire.

– Idiot ! Je te demande pas ce qu'il fait. S'il est pas catholique, il est protestant. Il va au temple, ton père ?

J'étais perdu. Je ne savais pas de quoi elle parlait.

– Tu veux dire la synagogue ?

Ça m'avait échappé.

– La synagogue c'est pour les Juifs. Il est juif ton père ?

– Non... avais-je dit, criant presque.

J'avais le choix entre protestant ou...

– Il ne croit pas en Dieu.

Il faisait chaud. Les insectes bourdonnaient, et, haut dans le ciel, un oiseau planait en faisant des cercles.

– Alors c'est un rouge, avait répliqué Lucie.

Je devais faire une drôle de tête car elle avait éclaté de rire. Quand elle riait, ses dents brillaient comme de la nacre ; elle était plutôt jolie. Elle aurait dû rire plus souvent.

– N'aie pas peur, je dirai rien. Moi je les aime plutôt, les rouges.

Pour moi, ces mots étaient dépourvus de sens. Je hochai la tête ; être « rouge », ce n'était pas être juif après tout.

Lucie avait ouvert un pot et plongé un doigt taché d'encre dans la confiture ; elle l'avait mis dans sa bouche en fermant les yeux.

Je craignais qu'en les rouvrant elle ne soit déçue de voir qu'il n'y avait que moi assis en face d'elle et je lui avais rappelé que j'attendais une réponse.

– Et pour les prières ?

– Y a un missel dans le tiroir de la table de nuit marron, celle à côté du lit de la peste.

J'hésitais à lui demander ce qu'était un missel. Si elle se mettait à me poser des questions je ne pourrais pas répondre en la regardant droit dans les yeux.

Je décidai d'en rester là. Je pris le chemin de la maison. Je l'entendis crier :

– Faut que t'apprennes par cœur *Je vous salue Marie* et le *Notre Père*.

Je songeais à Joseph et au courage qu'il avait eu de sortir en pleine nuit chercher du secours. Je l'imaginais rasant les murs, le cœur battant furieusement dans l'attente d'une voix lui ordonnant de s'arrêter. J'entendais les policiers guidés par les concierges ou les voisins ; ils cognaient aux portes, entraient dans les maisons et traînaient les gens sur les trottoirs. Je n'avais aucune nouvelle de Joseph et de Martha ; peut-être les avait-on emmenés eux aussi.

Je rejetai ces pensées et m'élançai vers la table de nuit marron et le mystérieux missel. J'étais allé trop loin pour ne pas continuer jusqu'au bout. Je n'avais guère d'idées sur ce qu'il fallait faire ; je devais simplement me débrouiller pour ne pas décevoir mes parents.

IX

DIMANCHE MATIN *je suis allée à l'église pour aper-*
cevoir Louis. Je sais que c'est bête, mais je suis
pas parfaite. Cinq minutes de bonheur dans un jour,
c'est pas trop. J'y vais parce que depuis deux jours je
suis sa maîtresse.

Je suis pas de ces filles qui vont au catéchisme et
suivent les processions ; je passe pas mon temps à
parler de la Vierge et de la joie d'être vierge le jour
du mariage. C'est tout.

Quand je suis avec Louis, une minute ça dure que
trente secondes ; peut-être moins. C'est cruel et ça
fait très mal ; c'est comme si les heures étaient
contre moi, qu'elles étaient là à attendre que je sois
avec Louis pour qu'elles soient plus courtes.

Je les déteste ! Elles me rendent plus malheureuse.
Chaque fois que la chance me donne un peu de bon-
heur, que je peux respirer la joie, on croirait que
quelqu'un tire sur une laisse pour me ramener dans
le noir.

*J'ai fait un serment : un jour je prendrai ma re-
vanche ; un soir je bercerai Louis dans mes bras
jusqu'à ce qu'il s'endorme. Près de lui je me sens
protégée.*

*J'avais ma robe verte et le goût de la confiture
d'abricots dans la bouche quand c'est arrivé. J'ai
gardé les yeux fermés attendant que la douleur
passe. Je les ai ouverts quand des avions sont passés.
Ils brillaient dans le soleil ; l'air n'avait pas de couleur et le ciel était si bleu.*

*Les avions volaient vers l'est, vers l'Allemagne.
C'étaient des avions anglais, c'est la première fois
que j'en vois.*

*La guerre s'est approchée ; je crois qu'elle va me
voler le peu d'espoir que j'ai.*

*Louis m'a regardée avec son air sérieux. J'aime la
couleur de ses yeux ; elle m'attire comme si j'étais un
papillon de nuit. C'est plus fort que moi.*

*Je lui ai souri. Peut-être qu'il a vu une sorte de
tristesse sur mon visage. J'ai une boule qui monte et
descend dans l'estomac. Il est très beau et très fier.
Moi aussi je suis fière de pas l'avoir déçu.*

*Je me suis blottie dans ses bras et je l'ai embrassé
dans le cou, là où il a la peau douce et tendre.*

*Comme je veux pas penser au moment où il va
partir, j'ai écarté les jambes pour qu'il recommence
et je lui ai dit que j'en avais encore envie. Je l'ai ap-
pelé « mon amour » juste avant que sa salive se mélange à la mienne.*

P'tit Paul

Quand je l'ai croisé le vendredi matin il a laissé tomber un bout de papier. Je l'ai ramassé. Il a écrit : « Je t'aime. Viens à une heure et demie là où tu sais. »

Je suis allée avec une demi-heure d'avance. Je sur-sautais au moindre bruit mais c'était pas encore lui. Je savais qu'il viendrait. C'est moi qu'il veut et moi je suis d'accord.

Je suis assise au soleil sur les marches de l'église. J'ai ma robe verte, et je l'ai remontée au-dessus des genoux pour que Louis voie mes jambes.

Presque tout le village est là. Les paysans ont des vestes trop grandes et des chemises blanches usées au col et aux poignets. Par-dessous leurs chapeaux, y me lancent leur regard.

Je remonte ma robe. Je suis sûre qu'on voit ma culotte mais je m'en fiche ; je suis la maîtresse de Louis. Les sorcières arrêtent pas de pépier comme des moineaux. L'une m'a montrée du doigt. J'ai cru qu'elle allait venir me parler mais elle s'est dégonflée.

Môssieur le maire est arrivé. C'est un gros tout chauve du front à la nuque, avec un visage bien rempli comme son porte-monnaie. Sa femme l'accompagne. On raconte que c'est une putain qui couche avec tous les jeunes qui lui tombent sous la main. Elle est belle, brune avec la peau blanche, et j'aime bien son prénom : Josette.

Jérôme, le neveu du maire, est là aussi. Il sourit tout le temps et on voit ses dents écartées. Il est propre et chic pour un vigneron. Il a une fossette au menton et parle avec une voix calme, pas comme son oncle. Lui, c'est un vieux salaud avec des yeux comme des grains de raisin écrasés. Marie dit qu'il parle que de sa vigne et qu'il est jaloux des gens qui sont plus riches que lui ; même qu'il les déteste.

Le maire salue tout le monde mais il fait semblant de pas me voir. Josette et Jérôme, eux, y m'ont dit bonjour.

Des gens sont entrés dans l'église et d'autres sont restés pour finir leur cigarette. Ils parlent du temps et s'annoncent des catastrophes pour se faire peur.

Deux grands dadais pleins de boutons sont au bas des marches. Ils se racontent des choses à l'oreille. Je sais quoi.

J'ai rabaissé ma robe et serré les jambes. S'ils croient que je fais ça pour eux !

Je les connais. Ils traînaient avec d'autres idiots du village pour me suivre dans les bois, m'espionner, ouvrir leurs braguettes et se faire des trucs. Un matin, j'ai mis une poignée de graviers dans ma poche et j'ai fait semblant de pas m'apercevoir qu'ils étaient derrière. Je me suis enfoncée dans les bois et je me suis cachée derrière un arbre. Quand ils sont arrivés je leur ai tiré dessus avec mon lance-pierres. Depuis, j'ai la paix.

Il fait bon au soleil et si j'avais eu le droit de faire un vœu, je sais ce que j'aurais choisi.

Aujourd'hui j'ai le cœur léger même si c'est la guerre et que les gens deviennent inquiets. Les Allemands sont pas descendus jusqu'au village mais j'ai entendu l'instituteur dire qu'on en avait vu à Saumur. Ils tarderont pas à être ici, le plus tard possible j'espère.

Le Parisien est venu avec les trois sœurs. Je l'ai entendu réviser ses prières ; il fait ça quand les autres dorment. Il a l'air malade ; il porte un short qu'Amancine lui a fait dans le costume gris que le vieil Henri met plus ; ses cheveux sont aplatis et ils lui ont fait une raie sur le côté.

J'ai eu envie de rire mais je me suis forcée à tousser pour pas qu'il croie que je me moque de lui.

La peste était blanche de fureur. Elle m'a ordonné de déguerpir mais j'ai haussé les épaules. Je suis plus une gamine ; j'ai un vrai amant. Elle, elle est encore vierge.

Elle peut rien contre moi. Je peux me venger en tuant plein d'oiseaux. Elle croit que tous les gens se moquent d'elle parce qu'elle est infirme. Moi, je me suis jamais moquée d'elle, et je l'ai jamais appelée l'écrevisse. C'est comme ça qu'ils disent dans son dos au village.

Le premier coup de la messe a sonné. Louis est pas encore arrivé. Finalement je l'ai aperçu. J'ai remonté ma robe très haut. Mon cœur bat tellement fort que j'ai mal au milieu de la poitrine.

Je quitte pas Louis des yeux. En me voyant, il a pas paru à l'aise. J'ai envie de lui dire que je suis pas venue pour faire des histoires ; au contraire. Je sais que c'est dangereux de me montrer par ici mais j'ai pas pu résister.

Louis, il est pas vraiment catholique ; il va à la messe pour faire plaisir à l'autre. Elle a de vilains cheveux raides serrés dans une mantille. Sa bouche est trop grande et quand elle sourit ça fait comme une grimace.

Louis est passé près de moi et je me suis sentie rougir. Il est en costume et il a ses belles bottines jaunes. J'ai levé les yeux. Je sais qu'il regarde mes jambes ; elles sont minces, pas comme celles de l'autre, celle qui se donne des airs. Ses jambes à elle, on dirait des planches. Louis est à moi et on peut pas me le disputer...

J'ai posé le carnet sur mes genoux et appuyé ma tête contre le mur éblouissant du café. Le soleil m'aveugle.

Je me souviens de ma peur en entrant pour la première fois dans l'église. Il faisait frais mais j'avais le front brûlant. Une odeur de cire et de bougies flottait. Je pensais que je n'allais pas m'en sortir, qu'on allait découvrir la supercherie, mais personne n'avait fait attention à moi.

J'avais regardé les autres et j'avais fait comme eux. J'avais trempé mes doigts dans l'eau bénite, fléchi les genoux, et fait le signe de croix. Je m'étais ensuite assis à l'extrémité d'un banc à côté de Marie.

Le curé montait un petit escalier. Je ne savais pas s'il m'avait reconnu mais il avait souri, comme s'il était surpris de me voir ou de voir tant de monde. Il s'était appuyé sur le rebord de la chaire en posant ses mains sur le bois.

Il y avait plus de femmes que d'hommes. Ils étaient peut-être au travail, ou ils ne croyaient plus en Dieu comme le laitier. Ou bien ils étaient prisonniers dans un camp. Une vieille pleurait, les épaules secouées de sanglots. Sur le banc derrière moi, une fille tenait serré sur sa poitrine un livre de communion et regardait une statue qui montrait Jésus cloué sur une croix.

Maurice m'avait fait un signe. Il avait enlevé son chapeau ; un chapeau feutre. Il portait un costume bleu, avec une chemise blanche et une cravate rouge. Comme il n'était pas marié, on disait que les veuves, les filles célibataires et les filles mères rêvaient de lui ; ses parents lui avaient laissé des revenus honorables. On se sentait flatté de le connaître.

Sa sœur Françoise était assise du côté des femmes. Elle avait l'air en colère ; elle donnait l'impression de retenir sa respiration juste avant d'exploser. On racontait que, très jeune, elle avait travaillé chez un notaire qui, prétendant lui offrir le mariage en échange, avait profité de sa crédulité pour lui prendre quelque chose.

La voix du curé résonnait. Il disait qu'aujourd'hui il avait décidé de consacrer son sermon à l'espérance qu'offrait à tous le Christ...

Le café s'est rempli et les commerces ne vont pas tarder à ouvrir. Des gens traversent la place à pied ou à bicyclette. Il y a très peu de voitures.

Une jeune fille est venue voir si je voulais quelque chose. Elle est brune, avec un regard doux et sombre, oriental ; une bouffée de soleil brûlant.

J'ai commandé un verre de vin et je lui ai demandé son nom.

– Hélène, répond-elle. Et vous ?

Je souris.

– Daniel.

– Vous êtes de passage ?

– En quelque sorte, dis-je.

– Vous arrivez d'où ?

J'ai un geste vague.

– Ici c'est pas folichon, dit-elle en hochant la tête comme si elle comprenait ma réticence à répondre à ses questions. On s'ennuie un peu. Après les vendanges je retourne à Paris ; je suis étudiante, en licence d'anglais.

– Moi aussi, dis-je.

Elle a un petit rire malicieux.

– Je veux dire que j'habite à Paris, repris-je.

Je la regarde. De grands yeux noirs, un joli grain de peau.

Hélène veut savoir si j'ai faim. Elle peut me préparer un sandwich.

– Soif, dis-je, j'ai seulement soif.

– Ça fait trois semaines qu'on a ce temps, dit-elle en repartant.

Mon regard se perd dans les vallons où les vignes sinuent en rangées parallèles. Le terrain est crayeux, presque blanc, percé de galeries, de caves où les résistants se cachaient. C'est une blancheur illusoire. Combien de cadavres sont-ils encore enfouis dans le sol ?

Des cadavres il y en a eu partout quand la guerre a débarqué et quand elle est repartie. Dieu n'a pas béni tout le monde dans ce village, je le sais, j'étais là. Je n'avais que dix ans mais je n'étais ni aveugle ni sourd, et ce premier jour à l'église reste dans ma mémoire parce que c'est celui où les Allemands sont arrivés.

X

ON PENSAIT QU'IL S'AGISSAIT d'une situation provisoire. Les soldats allemands ne resteraient pas ; ils allaient repartir, continuer leur route vers l'ouest. Ils restèrent. La véritable raison – il en circula des tas – on ne la comprit qu'aux premières exécutions.

Le quartier général des S.S. se trouvait dans un château à une quinzaine de kilomètres. Des paysans revenant de la ville avaient aperçu des chars et des automitrailleuses stationnant dans le parc ; des tentes étaient montées, des cuisines en plein air installées, et du linge séchait sur des cordes tendues entre les arbres.

Au village, nous eûmes droit à la présence d'une vingtaine de soldats en uniforme noir et képi à tête de mort. Ils bloquaient l'entrée et la sortie, filtraient les allées et venues, vérifiaient les *Ausweiss* et fouillaient parfois les fontes des bicyclettes et les véhicules. Des patrouilles accompagnées de chiens se croisaient dans les rues ; on disait que ces bêtes étaient spécialement dressées pour sentir l'odeur des Juifs. Le grand silence de la nuit était rempli de leurs aboiements et l'air chaud des dernières journées d'août tremblait.

Le courrier avait été suspendu puis rétabli, et la ligne de téléphone était réservée aux cas urgents.

À compter du jour où les Allemands prirent possession du village, ses habitants commencèrent à tourner en rond comme des assiégés. On aurait pu imaginer que l'invasion les obligerait à oublier leurs querelles personnelles ; ils se trouvaient dans une situation où il leur fallait se serrer les coudes et faire front : ils firent exactement le contraire.

Si lourde que fût la présence des S.S. pour les autres, elle représentait pour moi un danger bien plus terrible. J'étais convaincu qu'une fois mon identité découverte, personne ici ne m'aiderait. Je risquais aussi d'entraîner dans le malheur ceux qui m'hébergeaient.

J'étais terrorisé. J'avais du mal à comprendre ce qui m'arrivait. À peine sorti des angoisses de la messe, je me retrouvais entouré de mes plus redoutables ennemis. Je n'étais plus réfugié dans un village tranquille du Maine-et-Loire en attendant des jours meilleurs, j'étais abandonné en territoire hostile.

Isolés du reste du pays, les habitants vivaient au jour le jour. À l'heure de l'apéritif, la terrasse du café continuait d'être pleine. On buvait plus que d'habitude et on parlait à voix basse. La plupart des villageois, je l'ai compris plus tard, étaient surtout sensibles à ce qui dérangeait leurs habitudes ou menaçait leurs intérêts.

Les S.S. réquisitionnaient de la nourriture et nous rationnaient. Les murs s'étaient couverts d'affiches en allemand signées par un S.S.-Obersturmbannführer du nom d'Otto Wölk. « Bientôt, les Boches nous prendront tout », disait le vieil Henri qui avait déjà connu une guerre.

Personne n'avait accepté réellement la séquestration, mais l'irritation avait fait place à la résignation ; c'était le seul sentiment qu'on pouvait opposer à une force apparemment sans faille ni faiblesse.

On parlait de jeunes, morts les armes à la main pour éviter de tomber aux mains des nazis. La liste des exactions allemandes – jambes tronçonnées, testicules, ongles et dents arrachés, corps écartelés, femmes enceintes abattues d'une balle dans le vagin – était si horrible que mourir les armes à la main semblait une mort paisible en comparaison.

Au village et dans les fermes environnantes, les Allemands se mirent à dresser des listes et à recenser, et on eut un temps l'illusion qu'ils n'étaient là que pour embarquer des « volontaires » vers leurs usines d'armement.

Curieusement, ils n'insistèrent pas trop sur ce recrutement forcé. J'étais trop jeune pour comprendre leur manque d'enthousiasme.

Les nazis ne permettaient pas à ceux qui souffraient de maladies vénériennes ou de tuberculose de pénétrer en Allemagne. Le docteur, dont les services avaient été réquisitionnés par les S.S., travaillait aussi pour la Résistance. C'est lui que les Allemands avaient chargé d'examiner ceux qui partaient au travail obligatoire. Le docteur transmettait à un membre de la Résistance les noms des travailleurs convoqués ; il fournissait également des fioles contenant les germes de toutes les maladies proscrites par les nazis. Il suffisait d'imprégner un mouchoir avec le contenu de la fiole et de l'utiliser au moment du test. S'il s'agissait d'un examen de salive, on mâchouillait le mouchoir quelques secondes avant de cracher dans le tube, sans oublier de se rincer la bouche à l'alcool une fois sorti. Pour l'urine, c'était plus simple : on se contentait de pisser à travers le mouchoir préalablement infecté.

Les Allemands, bien qu'ils ne l'aient jamais laissé paraître, durent trouver que ce village, pour des raisons inexpliquées, était un foyer virulent de syphilis et de tuberculose.

De toutes mes forces je désirais retrouver mes parents mais avec les Allemands, leurs chiens et leurs tanks, la guerre qui nous entourait, je n'avais d'autre choix que celui de rester. C'était ce que m'imposait la situation. Je comprenais que j'étais livré aux caprices d'une force plus grande que ma propre volonté, et pour ne pas sombrer dans la panique – elle entraînerait à coup sûr ma perte – je m'enfonçais chaque jour un peu plus dans un refuge qui s'appelait Daniel Descamps.

Obéissant aux instructions d'Odette et de Marie, j'avais abandonné mes tournées avec le laitier ; je me tenais dans les limites du jardin. Les deux sœurs n'avaient pas eu beaucoup à insister ; on ne savait pas très bien ce que les Allemands trafiquaient dans le coin et il valait mieux se montrer prudent. Odette disait que la situation était grave et qu'il se préparait quelque chose.

Quelque temps après l'arrivée des soldats, je fis ma première sortie pour accompagner le vieil Henri au café.

L'air était tiède, de petits nuages roses et ronds progressaient lentement. Le soleil se couchait, une vague odeur d'humidité montait des prés.

Le cœur épouvanté, j'avais vu sur la place deux soldats allemands, une mitraillette sur la poitrine. L'un d'eux tenait en laisse un chien énorme. Le hasard avait fait que leur ronde, loin de les écarter de nous, les avait amenés à nous croiser. Luttant contre la folle envie de m'enfuir, j'avais serré de toutes mes forces la main du vieil Henri. Les secondes paraissaient interminables, puis les deux soldats s'étaient soudain trouvés en face de nous.

Je m'étais cru fini. Mon odeur allait me trahir et le chien se jeter sur moi. Le vieil Henri, pâle, serrait les mâchoires et regardait droit devant lui. Je crois que lui aussi était intimidé.

J'étais sûr que les S.S. allaient nous empêcher de passer mais à ma surprise ils s'étaient écartés en souriant. Ils étaient grands, très grands, et sentaient l'huile de camion. L'un d'eux avait enlevé son képi dans un geste cérémonieux ; l'autre m'avait ébouriffé les cheveux en prononçant quelques mots en allemand. Le chien, après m'avoir jeté un coup d'œil dépourvu d'intérêt, s'était assis sur son arrière-train pour se gratter le ventre d'une patte.

Ma présence n'avait rien provoqué et je n'arrivais pas à réaliser que le chien soit resté sans réaction.

Nous avions poursuivi notre chemin. Le vieil Henri m'avait envoyé un clin d'œil complice et s'était mis à mâchonner victorieusement son coin de moustache comme si nous avions franchi une dangereuse épreuve.

Je sentais encore sur mon crâne les doigts du soldat. Je m'étais retourné. Les S.S. nous avaient oubliés ; ils continuaient leur ronde. J'en avais conclu que je ne présentais aucun des signes caractéristiques qu'ils attribuaient aux Juifs.

Le lendemain, remis de mes émotions, j'avais compris qu'il m'était arrivé exactement la même chose qu'à l'église : personne n'avait fait attention à moi. Je n'étais rien de plus qu'un gamin de « bonne race » dont j'avais l'allure, et je pouvais remercier ma grand-mère pour mes yeux bleus et mes cheveux blonds.

Cette rencontre eut pour effet de dissiper ma peur et, la peur disparue, je m'aventurai stupidement et sans inquiétude en territoire inconnu. En quelques jours je devins une sorte de mascotte pour les soldats qui quadrillaient les rues.

Ma nouvelle position, si elle m'attira automatiquement la crainte et le respect des enfants du village, épouvanta Marie. Elle m'expliqua à plusieurs reprises que si je persistais ça me mènerait loin. « Tu rejoindras bientôt les Jeunesses hitlériennes », me disait-elle.

Pour moi, tout ça était sans signification. J'aurais voulu lui dire que ces changements étaient si extraordinaires, ils s'étaient accomplis si rapidement, que pour cacher ma condition de Juif et ne pas être différent des autres, je me battais à ma manière.

L'arrivée des Allemands avait fait resurgir la vulnérabilité de P'tit Paul et Daniel était son unique abri.

Mettant sur le compte de mes nouveaux amis la disparition de Jean Valjean, son chat favori, Amancine m'avait interdit catégoriquement de les amener à la maison. Les mains enfarinées, les yeux rouges, elle soutenait que le pauvre Jean Valjean avait été dépecé vivant par les horribles molosses que ces « Boches » promenaient en permanence. Elle priait pour que ces maudits chiens attrapent une sale maladie et crèvent.

Marie et Amancine ne pouvaient pas savoir ce que je dissimulais. Elles n'avaient jamais éprouvé la nécessité de cacher leurs origines, encore moins d'être l'agneau au milieu de la horde de loups. Elles me jugeaient cruellement mais elles continuaient à m'aimer.

Odette vint à mon secours. Curieusement, elle m'encouragea dans mes nouvelles amitiés. Sur le moment je crus qu'elle prenait comme d'habitude le contre-pied de ce que disait Marie ; je me trompais. Quant au vieil Henri, même s'il m'avait vu chanter l'hymne allemand revêtu d'un uniforme, il aurait ri de joie et de fierté.

Cette victoire m'apprit une chose : les soldats allemands, les S.S., parmi les plus féroces, pouvaient être trompés et leurs chiens aussi.

La nouvelle me délivra de mes remords. Je me sentais justifié à mes propres yeux. Dans un sens, au cœur de la terreur et de la désolation, ce fut une chance ; elle me préserva et dissipa momentanément mes frayeurs. Ce que je prenais pour l'expression d'un sang-froid et d'un courage d'adulte n'était en fait que de l'inconscience.

Le soir, autour de la table, encouragé par le vieil Henri qui coupait mon eau d'une rasade de vin rouge, je m'efforçais de prouver ma parfaite tranquillité d'esprit en finissant à grands coups de fourchette l'omelette aux pommes de terre.

Peu à peu le village s'habitua à la présence des Allemands. Les plaisanteries et les commérages prirent le pas sur les lamentations, et les habitants, dans leur désir de croire à une situation passagère, firent mine d'accepter leur condition. Emporté par mon élan, je continuai mon avancée. Un après-midi, tandis que je déambulais près du terrain de sport où une partie de football se disputait, je vis les joueurs s'arrêter à mon passage. Ils discutèrent, puis l'un d'eux, un garçon du village, s'avança et me demanda si je voulais jouer avec eux. J'acceptai. Le match terminé, ils firent cercle autour de moi. Tous me regardaient avec une admiration visible. Prenant l'air dégagé, essoufflé mais les mains dans les poches, je répondis aux questions en m'efforçant de conserver un visage impassible.

J'avais commencé à crâner sans vergogne quand le curé arriva. Le cercle des joueurs s'écarta respectueusement pour le laisser passer. Avec un beau sourire, il me prit par l'épaule et m'entraîna quelques mètres plus loin.

Je le regardais fièrement dans les yeux. Il ne m'effrayait plus. Je n'étais plus le gamin terrorisé à l'idée de voir sa misérable toile de mensonges mise à nu ; j'avais trompé un ennemi ô combien plus terrible que ce curé, et selon moi, mûri d'un coup de plusieurs années.

Il avait exprimé son admiration pour mes qualités sportives avant de dire :

– Je constate que tu t'es fait des copains.

Il m'indiquait de la main la troupe d'enfants qui se tenait à distance dans un religieux silence.

– Ça te dirait de faire partie de notre ensemble ?

Ne sachant trop à quoi il faisait allusion, je lui demandai des précisions.

– Notre chorale, dit-il, redressant le menton. Les enfants aiment chanter et je sais que tu as une belle voix. Tu feras aussi partie de notre équipe de foot ; nous jouons deux fois par mois contre les autres paroisses.

Je lançai un regard à la troupe. Impressionnés, ils m'attendaient, prêts à m'entourer à nouveau. Je représentais un chef, quelque chose de solide à admirer. Mon auréole s'agrandissait. J'avais tout à gagner à dire oui ; j'en avais assez d'être seul, et pour une fois le curé ne se trompait pas : j'aimais m'entendre chanter et ma voix plaisait aux trois sœurs.

J'avais eu un petit frisson de plaisir et des larmes me sont montées aux yeux. Je prenais de l'importance : j'avais trompé les S.S., j'allais à la messe et on me verrait chanter dans la chorale de l'église. Je ne risquais plus de me perdre dans mon ancienne vie, d'être arrêté, de disparaître comme les amis de mon père.

J'allais, à coup sûr, devenir un chanteur célèbre, gagner beaucoup d'argent, et avoir un chien à moi aussi gros que ceux des Allemands. Je me vis achetant une pâtisserie à ma mère pour qu'elle n'ait plus à faire des gâteaux. Ce serait une pâtisserie dans un beau quartier de Paris et on inscrirait sur la devanture : « Pâtisserie protégée par Jésus. »

Ému par ces pensées, j'avais donné mon accord. Le curé m'avait félicité pour ne pas détourner mon regard de Dieu, car dans ce monde troublé il y avait beaucoup d'appelés et peu d'élus.

Si la chorale avec ses répétitions du mercredi m'amusa, les matchs de football devinrent une véritable corvée. Sous la conduite d'un séminariste en herbe, le curé nous forçait à nous entraîner trois fois par semaine. Nous passions des heures à courir dans tous les sens et à faire un tas d'exercices épuisants, la plupart du temps sans ballon.

Je me plaignis au vieil Henri qui, amusé, me confia que l'entraînement organisé par le curé avait surtout pour but de nous épuiser complètement pour empêcher les grands de « penser aux filles ». Il ajouta que le chou qu'on servait copieusement dans les internats de garçons produisait le même effet. La choucroute au paprika de ma mère ressuscita d'un coup. Savait-elle ?

Je n'étais pas le seul à changer. Un jour, je trouvai Lucie assise sur un parapet de pierres, une cigarette entre les lèvres. C'était la première fois que je la voyais fumer. Elle avait enlevé ses espadrilles ; ses cheveux étaient ramassés en un chignon qui lui donnait l'air plus âgé.

Elle me fit signe d'approcher. Elle tenait sa cigarette entre le pouce et l'index, et avec une aisance que j'admirai elle tira une longue bouffée, laissant la fumée ressortir par ses narines en petits jets réguliers.

– Alors, me dit-elle l'air rêveur, paraît que t'es devenu une vraie grenouille de bénitier, une grenouille boche.

– Non, dis-je en rougissant, sans comprendre vraiment ce qu'elle entendait par ces mots.

– C'est Marie qui l'a dit, moi je m'en fiche.

Elle eut un petit rire.

– Qu'est-ce que tu as ? fis-je, piqué au vif.

Elle haussa les épaules, rejeta la tête en arrière, et prenant un genre de pose elle me demanda d'un ton désinvolte :

– Tu remarques rien ?

J'étais soulagé de ne plus être le sujet de la conversation.

– Tu fais vieille, dis-je.

– C'est parce que je vais avoir quinze ans.

Elle jeta sa cigarette, cracha avec précision sur une touffe d'herbe, et agita ses orteils au soleil.

– Josette m'a prêté son vernis.

Je ne connaissais personne de ce nom.

– Josette ?

– La femme du maire. C'est mon amie.

Je ne savais pas si elle avait dit ça pour m'impressionner. Peut-être était-elle jalouse de ma popularité. Le maire avait des yeux ronds et durs, un visage de chouette, et je trouvais que sa femme ne lui convenait pas.

– Faut que je te demande un truc, me dit Lucie.

– Et quoi ?

Elle jeta un regard autour d'elle.

– À ton avis qu'est-ce qui se passerait si quelqu'un allait dans un endroit où il est interdit d'aller ?

– Où ? dis-je.

Elle eut un geste vague de la main.

– Là-bas.

– Où là-bas ?

Elle s'énerva et dit avec force.

– Aux marronniers !

Je m'assis sur le parapet, posai mon missel à côté de moi et croisai les bras sur ma poitrine.

Depuis quelque temps je ne sortais plus sans ce missel. Je m'étais aperçu que les gens que je rencontrais, y compris les soldats allemands, semblaient favorablement impressionnés par mes lectures. Ils hochaient gravement la tête devant cette ardeur pieuse que je semblais témoigner.

J'en faisais trop, mais trop pour moi n'était pas assez, et avec un enthousiasme excessif je finissais par me leurrer moi-même, ce qui demeurait le fondement le plus sûr de mon personnage. Personne ne se souciait de rechercher ce que cachait cette foi et quelle pouvait être sa signification.

Le bois de marronniers se trouvait assez loin, de l'autre côté du vallon. Je n'y étais jamais allé. J'étais flatté qu'elle me demande mon avis, mais les Allemands n'avaient pas interdit aux gens d'aller aux champs ou dans les vignes ; les moissons finissaient, et les vendanges n'allaient pas tarder.

Je fis semblant de réfléchir en fronçant les sourcils.

– Ça peut être dangereux, dis-je gravement.

– Tu crois ?

Je sentais avec délice que j'avais marqué un point. Je décidais de prendre définitivement l'avantage.

– Oui, affirmai-je. Très dangereux.

– À cause des Allemands ?

Je fis oui de la tête.

– Et aussi des chiens, précisai-je.

Elle se mordit la lèvre.

– Si tu veux, dis-je, prenant l'air important, je peux demander à Michael, c'est mon ami.

– Tu ferais ça pour moi ?

Elle paraissait soulagée.

– Qu'est-ce que tu veux en échange ?

– Un lance-pierres, dis-je sans la moindre hésitation.

Je dois dire quelques mots sur « mon ami » Michael. Il ne joue pas un grand rôle dans cette histoire, quoique son amitié pour moi, compte tenu des événements qui suivirent, me paraît aujourd'hui bien moins spontanée qu'elle ne m'avait semblé à l'époque.

C'était un jeune S.S. de vingt-deux ans, grand et maigre, avec un visage énergique aux traits marqués et secs. C'est lui que je croisai quand je sortis pour accompagner le vieil Henri au café. Son chien s'appelait Prant von Mainbach, et Michael venait de Winningen, un village vigneron sur les bords de la Moselle. Il parlait un peu le français et m'apprit quelques mots d'allemand. Il était fier des vins de son pays. Lui et deux autres S.S. avaient d'ailleurs participé aux vendanges d'ici. On les avait tenus à l'écart avec un mélange de dégoût et de curiosité.

Je n'ai jamais revu Michael. Il y a deux ou trois ans, au début du mois de septembre, j'ai fait le voyage jusqu'à Winningen pour assister à la fête du vin. Le feu d'artifice y est spectaculaire, le plus beau dit-on de la Moselle, et j'y ai goûté les vins auxquels le S.S. Michael faisait probablement allusion : le beerenauslesen 1942 surtout, qui vieillit très bien.

Un samedi, allongé sur mon lit, je m'étais assoupi en relisant les *Chasseurs de caoutchouc*, quand je fus réveillé par une conversation à voix basse qui venait de la salle à manger.

Le vieil Henri faisait la sieste dans sa chambre ; Marie était dans le jardin, le gravier crissait sous ses pas. Comme d'habitude, Lucie était en vadrouille et je ne sais plus où se trouvait Amancine.

Le jour pâlissait. Odette parlait avec un homme. Je me demandai un instant si cette voix ne sortait pas d'un rêve car je n'arrivais pas à la reconnaître. Je me levai sans bruit et poussai la porte. Je tendis l'oreille et j'entendis prononcer le mot « résistance ».

Je savais que quelque chose se passait – n'avions-nous pas nous-mêmes caché des Juifs pour qu'ils échappent aux rafles – sans comprendre que c'était dans ce mot que se résumaient les actions secrètes contre les Allemands.

Odette devait me croire profondément endormi pour se risquer à parler d'une chose aussi dangereuse ; Marie, je le devinais, faisait le guet à l'extérieur.

L'homme disait qu'on avait besoin de plus d'argent ; le marché noir ne fournissait que de petites sommes, à peine suffisantes pour aider ceux qui se cachaient et que la Gestapo traquait. Plus d'argent, c'était plus de complicités, un meilleur renseignement ; on parlait même de soldats allemands prêts à vendre des armes volées.

Les ouvriers des P.T.T. avaient dérobé du fil téléphonique ; une ligne avait été tirée dans les bois jusqu'à un village voisin pour permettre de communiquer aux gens de Saumur des informations sans utiliser la ligne normale. Cela faisait deux mois que les S.S. occupaient le village et sa région et Angers se demandait toujours ce qu'ils venaient y faire.

Le visiteur se plaignit que trop d'hommes restaient inactifs et que les Allemands étaient l'affaire de tous.

Il expliqua que, pour des raisons de sécurité, les recrues devaient tout ignorer les unes des autres ;

l'idéal, disait-il, consistait en réseaux de dix personnes au maximum, dont une seulement, au sommet, savait comment et pourquoi ces dix-là étaient connectés. On devait aussi mettre en place des réseaux d'évasion, des caches pour les armes, et trouver rapidement des sources de faux papiers.

Pour les faux papiers, disait Odette, sa sœur Marie les aiderait. Pour les caches on utiliserait les vieilles galeries ; la région était dépourvue de montagnes, mais Dieu merci les galeries abandonnées ne manquaient pas.

L'homme demanda à Odette si elle avait toute confiance dans la fille qui habitait sous son toit. Elle répondit que jusqu'à présent la fille « ne fricotait pas avec les Boches » et qu'elle la tenait à l'œil.

Odette affirma garder à jour la liste des « collabos ». La mercerie lui servait de prétexte pour échanger des idées avec les clientes ; c'était le lieu de rendez-vous des commères et des mauvaises langues. L'homme voulut savoir si le village cachait des réfugiés juifs et Odette répondit que non. Quand il ajouta que le nouveau code donné par Paris pour signaler qu'on était juif était : « Je viens de Bretagne » ou « Je suis dentiste », je poussai un cri étouffé qui fut immédiatement suivi d'un silence terrible. Je regagnai mon lit, fermai les yeux et me recroquevillai. Le cœur glacé j'entendis Odette s'approcher.

Sa chaussure à l'épaisse semelle, retenue par deux tiges d'acier, traînait sur le sol et l'obligeait à se tenir penchée ; on ne pouvait pas se tromper.

Elle poussa la porte et s'arrêta. Je sentais son regard, j'entendais sa respiration. Elle demeura immobile un moment qui parut durer une vie entière, puis s'éloigna. Quelques instants plus tard la grille du jardin grinça légèrement.

Je me demandais ce qu'Odette, une boiteuse, pouvait bien apporter à la Résistance. Elle était incapable de courir ; il lui aurait été impossible de se sauver si les Allemands avaient découvert ce qu'elle préparait.

J'avais été bien imprudent d'attirer l'attention sur moi. Si Odette et ses sœurs examinaient mon cas – et c'était peut-être ce qu'elles faisaient à ce moment même –, elles allaient me soupçonner. Je craignais qu'elles ne trouvent un moyen de se débarrasser de moi ; après tout, les S.S. et Daniel Descamps étaient en excellents termes.

Les ronflements du vieil Henri s'étaient mis à faire vibrer les cloisons. Lui, me disais-je, ne me ferait certainement pas un coup pareil. D'un autre côté, si je dévoilais ma véritable identité c'est moi qui devrais me méfier de tout le monde. Certes, je savais que les sœurs ne me dénonceraient pas, mais si les Allemands découvraient que j'étais juif ils risquaient de me torturer pour me faire parler. Dans les deux cas, j'étais un danger pour ces gens de la « Résistance ».

J'étais accablé. Je sentais que j'allais pleurer. J'avais envie de me lever et de courir me jeter dans les bras de Marie pour lui avouer que je leur avais menti, que moi aussi je venais de Bretagne, que j'étais dentiste...

À cet instant, la voix de Joseph était sortie du néant de ma mémoire : « Tu m'entends mon fils, là-bas ne dis à personne, à personne, que tu es juif, quoi qu'il arrive ! »

Il me fallait donc attendre la suite des événements et ne rien changer à mon comportement. C'est à ma propre « résistance » que je songeais, et sur ce point mon père avait été catégorique.

Dévoiler mes origines était une décision hâtive, dictée par la peur, prise pour de mauvaises raisons ; c'était aussi une décision imprudente qui réduirait mes chances d'en réchapper.

Épuisé, j'avais plongé ma tête sous l'oreiller pour m'enfuir dans le sommeil et ne plus penser.

Les nuits qui suivirent je m'endormis très tard. J'étais à l'écoute de ce que les sœurs se disaient ; j'essayais de déchiffrer leurs chuchotements.

Au dîner, et contrairement à mes habitudes, je m'abstins de poser la moindre question pour ne pas en déclencher en retour.

XI

*L*E PARISIEN A DEMANDÉ *à son ami allemand si aller*
aux marronniers c'était dangereux et le Boche a
répondu que non. Je l'ai dit à Louis mais il a pas
voulu m'écouter. Le danger est impossible à prévoir,
qu'il a dit en se raclant la gorge.

Il a peut-être raison mais moi la seule chose qui
compte c'est que je sois de nouveau à lui.

J'ai insisté mais il a pas voulu. Y a forcément une
raison pour qu'il soit comme ça. Je suis sûre qu'il a
pas peur des Boches et j'espère que c'est pas à cause
d'une autre fille.

J'ai pleuré. Je hais la guerre. J'étouffe. Je peux plus
sortir le soir à cause du couvre-feu. Faut que je dîne
avec eux à table ; maintenant que j'ai un vrai secret
j'ai pas envie que la peste me punisse.

Le matin, quand j'ouvre les yeux, il fait encore
nuit. Le vieil Henri grogne dans la cuisine. Des fois,
je le rejoins et on parle. Je lui mouds un peu de café ;
il en reste encore.

Je commence à perdre courage ; des fois les objets se brouillent et je crois que je vais tomber morte.

Je me suis regardée dans la glace ; j'ai maigri, je peux compter mes côtes. Je suis pas malade, je mange plus, c'est tout.

Je suis allée voir Josette, la femme du maire. J'y vais quand je suis sûre de pas le trouver, lui.

Josette, elle s'ennuie, et elle reste dans son salon ou dans son jardin à fumer des cigarettes.

Elle m'a dit que j'étais jeune et que je devais avoir de la patience.

J'aimerais mieux mourir que de pas revoir Louis. Jérôme, le neveu du maire, est arrivé. Josette m'a dit de partir parce qu'ils doivent parler des affaires de la ferme.

Je suis retournée aux marronniers, toute seule. En revoyant l'endroit, mon cœur a éclaté. J'étais si malheureuse que j'ai pris mon lance-pierres et j'ai tué deux merles. Ça m'a fait plus pleurer.

Heureusement que les vendanges sont arrivées et que j'ai pu revoir Louis. Quand on a été dans le pressoir il a eu peur que je l'embrasse et que quelqu'un arrive...

Mes souvenirs de ces premières vendanges sont lointains. J'apparais moi-même comme un étranger, un étranger aux aguets, dévoré de curiosité mais silencieux. Pourtant, certains détails ont gardé leur prémonition aiguë. Je peux voir après coup les

traces de ce qui se passait ; des traces impercep-
tibles.

Dans le carnet, à la dernière page, il y a une photographie collée. C'est Amancine qui l'a prise au
moment du déjeuner, au début des vendanges.

Les vendanges de ces années-là ne furent pas ce
qu'elles étaient d'ordinaire ; la guerre y était pour
beaucoup, et les premières difficultés de ravitaillement, un sujet d'inquiétude, mais en examinant ce
cliché des années après, j'ai senti que c'était le week-
end où les choses s'étaient mises en place, celui où
les gouffres s'étaient élargis ; le point à partir duquel des sentiments allaient se dévoiler, par de-
grés, sournoisement.

Je m'étonne d'avoir côtoyé ces gens et d'en avoir
su si peu sur leurs motivations. À cette époque, on
était tous experts dans l'art du camouflage, et l'in-
nocence m'empêchait de discerner leur réalité.
Nous avions tous quelque chose à cacher ; nous
étions, pour des motifs différents, solidaires dans
le mensonge.

Après la guerre, quand le monde s'est refait et
qu'une sorte de liberté a été restaurée, je n'ai fait
partie d'aucun mouvement, d'aucune organisation ; j'ai refusé l'esprit de groupe. L'époque passée
à dissimuler qui j'étais m'a rendu méfiant sur la
vraie nature des autres.

Ce jour des vendanges, je m'en souviens, le vi-
gnoble était lumineux et le soleil m'aveuglait. Le

ciel était d'un bleu rafraîchi par l'automne, et les arbres avaient commencé à jaunir. Les manches retroussées, accroupi entre deux rangées de vignes, les joues brûlantes, j'avais, avec les autres enfants du village et des jeunes du service civique, passé la matinée à détacher les grappes des ceps, coupant les tiges avec précaution, déposant le raisin dans un seau. Des paysans, une hotte en bois sur le dos, récupéraient le contenu des seaux pour l'apporter jusqu'à une carriole où se trouvaient un pressoir à main et une grosse cuve. Une femme circulait pour nous donner à boire et nous encourager.

J'étais fourbu, des insectes me bourdonnaient aux oreilles, des cailles piétaient dans les layons avant de s'envoler lourdement. J'avais mon lance-pierres mais je n'avais pas encore appris à m'en servir.

Les raisins – je ne me privais pas d'en manger – étaient excellents. Le vieil Henri m'avait prévenu ; les gens de la ville en avalaient tant le premier jour des vendanges que la nuit ils avaient le ventre tordu par des crampes et couraient aux toilettes.

Depuis la visite de l'inconnu de la Résistance, la nécessité de découvrir son identité me rongeait ; j'en oubliais l'endroit où je vivais. J'aurais aimé me rendre invisible, me glisser partout, écouter sans être vu comme le personnage de Wells ; je me contentais de traîner dans les rues dans l'espoir de reconnaître cette voix.

Les sœurs continuaient à me témoigner leur affection, indiquant qu'elles n'avaient aucun soupçon. La présence d'Odette m'embarrassait, à cause de mon trop grand désir de lui faire bonne impression. Elle devenait impulsive, d'humeur changeante, et me traitait parfois comme un gosse de la maternelle. Je me sentais plus à l'aise avec Marie.

Leurs journées semblaient dépourvues de mystère ; elles incluaient un tas de choses, sans rien de défini. C'était des fractions de temps disjointes, parfois monotones dans leur routine, jusqu'à l'heure du couvre-feu. J'étais persuadé que nous ne pouvions continuer dans ce train-train, et là-dessus je ne me trompais pas.

La photographie prise par Amancine est comme l'image d'un vieux rêve en gris et noir. Nous sommes assis dans l'herbe, réunis pour la circonstance, le visage tourné vers l'objectif. Les éléments sont désorganisés, encore loin les uns des autres, mais déjà terrifiants ; la prémonition d'un drame où chaque détail est parfaitement saisi et éclairé.

J'ai, grâce au journal de Lucie, découvert le secret derrière ces personnages. Cela me semble si évident aujourd'hui que je m'étonne parfois de ne pas avoir compris plus tôt.

Il y a treize personnes sur cette photographie. Je ne saurais pas l'expliquer, mais aucun d'entre nous ne sourit. Chacun semble isolé dans ses propres cauchemars ; mais c'est peut-être aussi la fatigue de la mi-journée, la lourdeur du vin blanc ou le début de la digestion.

Il y avait du poulet froid, des rillettes, du jambon, et peut-être une salade de champignons avec une sauce au vin et à la moutarde.

Je suis au premier rang, entre Marie et Odette. Je ne regarde pas l'objectif ; j'ai oublié qui ou quoi en dehors du cadre attire mon attention. Ma bouche et mes joues sont barbouillées de jus de raisin et une mèche de cheveux me colle au front.

Marie porte un bandeau dans les cheveux et une blouse de travail de couleur claire.

Odette est en noir, un foulard noué sous le menton. Il existe au monde une chose telle que la Mort nous dit son aspect tragique.

Le regard absent, les deux sœurs fixent l'objectif comme s'il n'y avait pas de pellicule dans l'appareil.

Le vieil Henri, le chapeau en arrière, est au dernier rang, au bord supérieur du cadre. Engoncé dans sa veste informe, il fronce les sourcils d'une manière impressionnante ; ses yeux, gris sur la photo, ont le regard que je lui ai toujours connu : bienveillant, honnête.

La femme de l'instituteur est assise à ses côtés. C'est une femme osseuse, d'aspect fragile, enlaidie par un menton et un nez pointus. Elle baisse les yeux comme si elle examinait le contenu du bocal posé sur ses genoux. Peut-être refuse-t-elle de lever la tête.

L'instituteur a un tablier de travail. Il n'a plus l'air de porter la misère du monde sur ses épaules, mais sa moue cache, j'en ai l'impression, un désespoir total. Il semble nous dire : « Voyez, il n'y a pas lieu de dramatiser ni de s'engueuler. Les choses se passent aussi bien que possible après tout. »

L'installation des Allemands avait créé une certaine agitation. Le bruit de leur brutalité avait précédé les S.S., et la population s'attendait à un bain de sang. On craignait le pillage et les exécutions mais, comme jusqu'à présent rien ne s'était produit, les villageois s'accrochaient, refusant de voir la vraie nature de ceux qui les entouraient. Certains concluaient qu'on avait de la chance ; d'autres, que la propagande des rouges et de Radio Londres était mensongère. Ils disaient que « les soldats allemands n'avaient pas de rancœur particulière vis-à-vis de la population, et qu'ils n'étaient pas là pour prendre une revanche. Leurs chefs produisaient une excellente impression ; ils étaient polis et disaient "chère madame". Ils s'étaient installés dans une régularité et une précision de fonctionnaires ; intransigeants certes, mais impartiaux ».

Jérôme, le neveu du maire, est le dernier de la rangée. Lui aussi a son tablier de vendangeur. Il ouvre la bouche ; on voit ses dents, et elles sont aussi écartées que celles d'un lièvre. Son regard ? Il est surpris de se trouver là, ou bien il fait semblant. Une cigarette se consume entre ses doigts ; la cendre est longue et grise.

On dirait que Lucie s'est glissée dans le cadre à la dernière minute. Elle est transparente, phosphorescente presque, et son visage est d'une pâleur blafarde exagérée par la teinte sombre de ses cheveux, comme celui d'un fantôme. Ses yeux reflètent une lumière indéfinissable qui tombe sur notre petite assemblée.

Marcel Grau est à genoux dans l'herbe. Sous sa blouse, le maire porte une chemise blanche et une cravate noire. On distingue l'arête épaisse de sa mâchoire et le pli durci de ses lèvres.

Le docteur a troqué son béret pour un chapeau dont il a relevé le bord. Je l'entends presque répéter au curé : « Les prières n'ont jamais réglé les malheurs, mon père. » Il rejette la tête obliquement et observe Josette, la femme du maire.

C'est là, sur ce cliché, qu'ils cessent de m'être complètement étrangers, qu'ils commencent pour la première fois à prendre une forme proche de leur personnalité véritable.

Une sorte de méfiance se dégage de cette photographie ; nous avons le visage de ceux qui craignent d'être démasqués trop tôt.

Ces personnages gardent-ils l'illusion qu'ils peuvent encore choisir leur destin ? Je ne le crois pas. Le village empeste la mort, et ils savent qu'elle les renverra inéluctablement en face d'eux-mêmes.

Si l'on en croit son journal, Lucie ressentait le même présage en les épiant à ce moment précis.

J'en sais plus sur les gens du village que si je les connaissais de toute petite.

Je vois bien ce qu'y a dans leurs yeux. Ceux de Louis surtout. Ce matin il a fait semblant de pas me voir, mais tout à l'heure, à la cave, on sera seuls et faudra qu'il m'explique.

Amancine a fait des photos ; juste « leur » petit groupe, qu'elle a dit. J'ai vu comment Louis louchait sur Josette, la femme du maire. Il croit que je l'ai pas remarqué. Maintenant, j'ai les nerfs comme un buisson d'épines et je tiens plus en place. Je suis jalouse ; pas la même que celle que j'ai eue quand Louis est arrivé à l'église avec l'autre ; c'est une jalousie qui colle dans mon cœur comme une vilaine saleté.

Josette, sa jupe, elle se l'est remontée au-dessus des genoux pour qu'on voie sa combinaison. Y a un liseré avec des petites roses. Ses genoux sont blancs, et ils ont l'air doux ; pas comme les miens qui sont tout plein d'écorchures.

Elle est belle avec ses nouveaux reflets dans les cheveux et ses boucles d'oreilles qui brillent.

Quand je passe la voir pour qu'elle me donne des cigarettes, elle me permet de la regarder se maquiller. Elle se poudre, se farde sur les joues, et elle met du rouge à lèvres et aussi du noir sous les yeux. Elle dit que ça attire les hommes.

Louis a pris son air renfrogné et sournois ; on dirait un prisonnier qui cherche à se sauver. J'ai peur qu'il arrive pas à échapper à Josette. Je vois bien le piège qu'elle pose avec son cou, sa poitrine, et ses bagues en or.

Je vois aussi qu'ils ont compris que la guerre les laisserait pas faire les choses qui tournent dans leurs têtes. Ils ont peur que la mort arrive avant. Moi, la mort, je la vois comme si le village brûlait et que la fumée cachait le soleil.

Des fois je me dis que c'est un mauvais rêve, mais la mort ça a aussi une odeur et je l'ai respirée sur eux.

Moi je m'en fiche, je suis une survivante ; la mort ça fait longtemps qu'elle a posé ses doigts sur mon épaule ; eux, ils viennent de la sentir. Ça doit les ronger de l'intérieur.

J'ai fait qu'attendre Louis ces jours ; j'espère qu'il est pas malade d'amour pour Josette. Je suis capable de vilaines choses pour pas le perdre. Après tout je lui ai rien demandé ; c'est lui qui est venu me chercher.

Maintenant, je suis comme l'héroïne dans un livre ; j'irai au bout de mon amour. Je sais pas comment le livre se termine, bien sûr.

Je souris parce que j'ai mille façons de me venger si j'apprends qu'il s'est moqué de moi. J'ai pas que mon lance-pierres pour me défendre, si je veux je peux causer des ennuis à plein de gens. Je suis pas comme les filles du village qui mettent des robes courtes et du rouge pour les soldats. Elles rient comme des femmes. Elles leur donnent des bouquets de fleurs, et disent qu'ils sont jeunes et beaux, et loin de leur famille ; les officiers surtout.

Moi, j'aime pas les uniformes, tous les uniformes, même celui du postier.

J'ai suivi Louis et les autres jusqu'à la cave. Je me suis débrouillée pour qu'on soit seuls. Il fait trop sombre alors je peux pas lire ce qu'il a dans ses yeux. J'ai posé mes mains sur ses épaules et je l'ai embrassé sur la bouche. Il a résisté puis il s'est laissé aller. Il était content, et en même temps il avait peur que les autres nous surprennent. Il m'a demandé d'écarter les jambes. On l'a fait à toute vitesse et j'ai pas eu le temps de lui montrer les caresses auxquelles j'ai pensé.

Quand il m'a quittée je lui ai demandé si Josette lui plaisait. Il a haussé les épaules. Je me fiche de l'autre salope ; Josette, je peux pas lutter contre elle...

Sur la photo, le curé ressemble à un épouvantail. Ses jambes sont écartées en dessous de la cloche noire de sa soutane. Il est venu pour le déjeuner. Il a apporté une tarte avec des pommes et de la confiture de mûres ; c'est une veuve qui fréquente l'église qui l'a préparée. Je m'en souviens parfaitement. Je n'ai jamais oublié son goût. Le curé avait dû en manger la moitié car on le voit desserrer son col et lever les yeux au ciel. Il faisait ça tout le temps, lever les yeux au ciel, comme s'il avait voulu accrocher le regard de Dieu. Parfois, avant la messe, quand nous enfilions nos robes d'enfants de chœur, il soupirait en disant que c'était une époque bien triste mais qu'il fallait espérer car les voies du Seigneur étaient impénétrables.

Le facteur est en civil, quelques poils blancs brillent dans sa barbe brune. Sur la photo on le voit un peu plus tassé que d'habitude, un cahier sur les genoux. Des cahiers, il en avait de différentes couleurs, et quand il n'était pas sur son vélo il griffonnait avec un bout de crayon usé des personnages, des caricatures. Il disait que c'était sa façon à lui de voir le monde par le bout comique de la lorgnette. Pourtant, son caractère était dépourvu de souplesse, et il ne nous a jamais montré ce que contenaient ses cahiers. Il s'appelait François, et avant la guerre il vivait à Bordeaux où il avait une très belle situation. Sa femme l'avait abandonné et il s'était réfugié dans ce métier, facteur dans un village oublié, pour oublier lui aussi qui il était. On devinait dans ses yeux qu'il n'avait pas vraiment réussi.

Maurice et sa sœur Françoise ne sont pas assis à côté l'un de l'autre. C'est plutôt rare, d'habitude la Françoise s'arrangeait pour faire le vide autour de son frère ; elle avait bien trop peur qu'on lui mette le grappin dessus. Elle le suivait en permanence, ronchonnant et mal élevée, le cou raide comme une gouvernante exaspérée.

Maurice porte une veste de tweed et des pantalons de golf. Il a étalé ses jambes ; on voit ses bottines, celles qu'il a achetées à Londres avant la guerre. Maurice semble hésiter, comme s'il ne savait pas où regarder ; à moins que ce ne soit le contraire, qu'il ait peur de se dévoiler.

Françoise a un air inquisiteur ; l'air de celle qui n'a pas compris quelque chose et qui cherche à savoir. Elle attend Dieu sait quoi, le visage fripé par une vie qu'elle déteste, à l'écoute d'un bruit imaginaire.

Nous sommes là, tous les treize, réunis dans la lueur d'un jour de septembre, pour une unique et dernière fois.

XII

Il me faut à présent parler des S.S. et de leur chef, l'Obersturmbannführer Otto Wölk.

On le voyait de temps à autre quand il venait en tournée d'inspection. Je l'apercevais de loin ; même à cette distance je sentais qu'il était différent des autres S.S. ; ils avaient peur de lui. Deux officiers l'accompagnaient en permanence, le suivant à distance respectueuse.

C'est à la fin des vendanges que je fis, en quelque sorte, sa « connaissance ».

Le vieil Henri lisait dans le salon, un châle sur les épaules, le béret enfoncé jusqu'aux yeux. Nous n'avions pas encore allumé les cheminées ; on attendait l'arrivée des « grands » froids.

Marie et Odette étaient au travail ; quant à Amancine, je ne me souviens plus de ce qu'elle était allée chercher au village.

Nous devions reprendre l'école et, ce matin-là, je m'étais installé de mauvaise grâce autour de la table de la cuisine pour faire quelques révisions. Odette et l'instituteur étaient tombés d'accord sur la nécessité d'une bonne préparation avant le début de l'année scolaire.

Je refusais de penser à la rentrée des classes. L'esprit ailleurs, je regardais les feuilles se détacher des arbres ; elles descendaient en tournant, et parfois remontaient sous un léger coup de brise, pareilles à des papillons aux ailes jaunies. Chaque plante accusait le souffle des premiers froids ; les roses, comme saisies par une fièvre, prenaient une couleur étrange, et je me sentais dans la peau d'un insecte, prêt moi aussi à m'enfouir pour échapper au sortilège de l'hiver.

Les gens brûlaient des feuilles mortes. Il flottait une brume, et par la fenêtre entrouverte me parvenaient des relents humides et une odeur de fumée. Lucie, dont personne ne contrôlait les allées et venues, avait filé sans fournir la moindre explication.

Elle avait encore changé. Elle s'était métamorphosée en quelqu'un d'autre ; elle s'habillait en garçon, portant un vieux pantalon et une chemise de laine ; comme un vagabond elle traînait des souliers éculés qui lui sortaient des pieds.

Je pensais à elle quand j'entendis des motos allemandes pétarader. C'était la première fois que je les entendais si près de chez nous. Je crus qu'elles allaient remonter la rue où nous habitions, mais elles stoppèrent devant la maison. Ce fut un moment effrayant, terrible, qui me donna l'envie de me sauver, de me cacher n'importe où.

Ils venaient pour moi ! On m'avait dénoncé !

Des bruits de bottes résonnèrent et la porte du jardin grinça. Les Allemands étaient là.

Je me levai et courus au salon. Le vieil Henri continuait sa lecture. Je le secouai par la manche.

« Henri ! Henri ! »

J'eus un vertige, pareil à celui que j'avais eu le jour où le mari de la concierge était monté chez nous avec la police.

Les Allemands continuaient à frapper à la porte, je continuai à secouer le vieil Henri. Je lisais dans ses yeux qu'il n'avait rien entendu.

Je devais faire quelque chose ! Mais quoi ? Une idée me traversa la tête. J'essayai de me souvenir de l'endroit où j'avais posé mon missel. Je l'aperçus sur le divan, coincé entre deux coussins. Je le pris, l'ouvris au hasard, et me dirigeai vers la porte en marmonnant :

« Je vous salue Marie... maintenant et à l'heure de notre mort. »

Je distinguais deux paires de bottes. Je refusais de lever les yeux pour découvrir qui les portaient. Je continuais à marmonner. Je ne savais pas si j'étais mort ou vivant. J'attendais que ce soit fini, qu'ils m'arrêtent. Ils étaient tout près. Leur odeur me tombait dessus ; une odeur de cuir et de machine qui tournait sans à-coups.

L'un d'eux parla en allemand. Ce fut bref et rapide. Une autre voix me demanda en français :

– Ton grand-père est là ?

J'étais trop ému pour faire le rapprochement avec le vieil Henri ; je ne comprenais pas. Mon grand-père était à Paris ; aveugle, il ne parlait pas français et bavait en mangeant des mouillettes au vin.

Je finis par lever les yeux pour reconnaître l'Obersturmbannführer Otto Wölk en personne.

Son regard était terrible, pareil à de l'eau troublée par un courant de vase. Vu de près, il faisait jeune ; pas plus de vingt-cinq ans, même si je considérais que c'était déjà vieux. Son uniforme brillant était impeccable. C'était le seul à porter des gants de cuir noir. J'étais paralysé de froid. Je n'avais jamais eu aussi froid de ma vie. J'étais certain qu'il m'avait deviné, qu'il était là pour me démasquer.

Wölk sourit et donna un ordre à l'homme qui se tenait à ses côtés ; c'était l'un de ceux qui l'accompagnaient quand il faisait ses inspections.

Il me répéta la question :

– Ton grand-père est là ?

Je restais muet. Brusquement, je réalisai que le vieil Henri se tenait derrière moi.

– Qu'est-ce que vous me voulez ? demanda-t-il en me prenant la main.

L'Allemand qui parlait français s'inclina brièvement. Otto Wölk, lui, restait impassible. Je remarquai

un troisième homme dans l'allée, et aussi des mo-
tards armés qui se tenaient dehors, devant la grille.

– Henri Michaux ?

– C'est moi, dit le vieil Henri.

Otto Wölk donna ses instructions à l'autre officier.

– Je suis le lieutenant Hesser, dit l'Allemand.
Mon supérieur, l'Obersturmbannführer Otto Wölk,
aimerait que vous l'invitiez à entrer.

Le vieil Henri secoua la tête. Il avait entendu.

– Les Allemands n'entrent pas chez moi, fit-il. Si
vous êtes venus m'arrêter, je suis prêt à vous suivre.

Il restait planté sur le pas de la porte, presque au
garde-à-vous. C'était un ultime acte de défi aux
« Boches » ; cette bataille, il ne pouvait pas la gagner ; il essayait de sauver la face, tournant son regard vers son propre passé.

Les Allemands m'avaient oublié. Je me demandais ce qu'ils voulaient au vieil Henri. Je songeais à
Odette et à l'homme de la « Résistance » ; ce n'était
pas pour elle qu'ils étaient là. Odette était à la mercerie, et s'ils l'avaient soupçonnée c'est là-bas
qu'ils seraient allés.

Hesser avait traduit à Wölk la réponse du vieil
Henri. Wölk hocha la tête et parla avec son lieutenant ; sa voix restait calme comme s'il ne s'était
pas senti insulté.

Hesser se tourna vers nous.

– L'Obersturmbannführer Wölk est un ami véritable de la France et il tient à ce que vous le sachiez.

Sa visite est une visite de courtoisie. C'est un grand collectionneur et il aimerait admirer votre collection de cartes postales. Nous savons qu'elle est remarquable. Tout le village en parle.

Le vieil Henri articula quelque chose d'inintelligible. Wölk fit signe à Hesser et les deux hommes s'avancèrent avec fermeté.

En passant, Hesser prit mon missel pour y jeter un coup d'œil. Il me le rendit avec un sourire et me tapota la joue.

– Explique à ton grand-père qu'il n'a rien à craindre. Nous aussi nous sommes de bons chrétiens.

Otto Wölk se tenait au milieu du salon. Ses yeux inspectaient la pièce, s'arrêtant sur une étagère, un meuble recouvert d'un napperon, un buffet encaustiqué. Il semblait deviner l'histoire de tout ce qui se trouvait ici. Ses cheveux bruns étaient striés de gris. Il enleva sa casquette et ses gants et alluma une cigarette.

Je ne pouvais détacher mes yeux de sa main gauche à laquelle il manquait trois doigts. Le vieil Henri était toujours sur le pas de la porte, les yeux rivés au sol. Je l'entraînai jusqu'à son fauteuil. Il se laissa faire sans résister.

Hesser faisait le tour des pièces. Otto Wölk s'était approché de la cheminée. L'Obersturmbannführer regardait les photos encadrées de dorure posées sur le manteau. Je n'entendais que les battements de mon cœur. Ils résonnaient dans mes oreilles ; le bruit des bottes du lieutenant Hesser sur le carrelage ne me parvenait pas. Assis dans son fauteuil, le vieil Henri avait la tête basse.

Hesser revint. C'est à moi qu'il s'adressa :

– Simple mesure de sécurité, dit-il. Alors, pouvons-nous admirer la collection de ton grand-père ?

J'obéis. J'allai chercher les albums. Il y en avait vingt et un. Les cartes postales étaient classées par pays pour celles qui venaient de l'étranger : le Tchad, la Haute-Volta, l'Algérie, l'Oubangui-Chari, le Maroc, le Niger, le Congo, la Tunisie, le Dahomey, le Siam, la Cochinchine, l'Indochine, et d'autres pays dont je ne me rappelle plus les noms. Celles de France, d'Italie et d'Espagne étaient rangées par villages et par métiers.

Otto Wölk s'installa sur le divan. Hesser se tenait figé derrière lui. Moi, j'étais assis aux côtés de l'Obersturmbannführer.

Il n'était pas pressé. On voyait bien que c'était un connaisseur. Je lui passais les albums. Il examinait les cartes, l'œil mi-clos à cause de la fumée de sa cigarette. De temps en temps il attirait l'attention de Hesser sur une pièce qu'il jugeait intéressante ; une négresse à demi nue, une caravane de chameaux, une fille qui foulait des grappes de raisins avec les pieds. Le lieutenant se penchait et approuvait de la tête.

Au bout du dixième ou du onzième album, Otto Wölk parut se lasser. Il éteignit sa cigarette, se leva et enfila ses gants. Il lança un regard au vieil Henri et fit signe à Hesser d'approcher. Il lui murmura quelque chose à l'oreille. Hesser se redressa en claquant des talons. Sans rien ajouter Wölk ramassa sa casquette et quitta la pièce.

Le lieutenant Hesser alla sur le pas de la porte et cria en allemand. Quelques secondes plus tard deux soldats en armes entrèrent. Hesser leur désigna les albums. Ils commencèrent à les empiler et je compris qu'ils allaient les emporter. Wölk se vengeait à sa manière.

Hesser, ignorant le vieil Henri, s'adressa encore à moi :

– Tu diras à ton grand-père que l'Obersturmbann-führer est très occupé. Il n'a pas le temps d'admirer ici toute la collection, et c'est une très belle collection. Nous emportons les albums, nous les ramènerons quand nous aurons fini.

Les deux soldats avaient terminé. Le lieutenant Hesser me salua d'une légère inclinaison de tête, et les trois hommes sortirent.

Quelques secondes plus tard j'entendis des coups de kicks, et les motos démarrèrent. Je courus dans le jardin pour voir le cortège disparaître au coin de la rue. Quand je revins, le vieil Henri n'avait pas bougé ; il se contentait de trembler. On aurait dit un arbre pétrifié secoué par la tempête. Le silence était retombé de tout son poids. Je m'approchai et mis mes bras autour de son cou.

Le désespoir me gagnait, j'avais envie d'éclater en sanglots, mais quand je vis des larmes couler sur les joues du vieil Henri je fis un effort pour rester vaillant.

Nous ne revîmes jamais les albums. Marie et Odette essayèrent de les récupérer mais les Allemands firent la sourde oreille. À partir de ce moment, on peut dire que les choses prirent un cours dramatique et que la guerre devint notre affaire à tous.

XIII

L E VIEIL HENRI MOURUT le 20 décembre de cette année ; la veille de son quatre-vingt-troisième anniversaire. Quelques jours après la visite des Allemands, un matin, il refusa de se lever. Il avait décidé de se laisser mourir.

Je restai près de lui jusqu'à la fin. Quand il ne regardait pas fixement le feu allumé dans la cheminée, il tournait le dos à la porte, recroquevillé dans son lit de cuivre, le visage contre le mur. J'essayai de lui parler mais il répondait de façon confuse ; découragé, je me plongeais dans la lecture, assis sur une chaise près du feu. Lucie prenait ma place quand j'allais me coucher.

Le docteur vint le voir ; il disait que le vieil Henri ne présentait aucun des symptômes des maladies connues. Il fallait espérer que son esprit, troublé, reprenne le dessus. Les habitants passèrent prendre de ses nouvelles et les femmes apportèrent des remèdes pour le remettre sur pied.

Il ne mangeait presque plus, deux ou trois cuillères de soupe qu'Amancine le forçait à avaler en lui desserrant les dents. Il était épuisé ; il n'avait plus la force de réagir.

La veille de sa mort, il avait dû la sentir approcher, il confia à Odette qu'il ne voulait pas que le curé vienne lui administrer l'extrême-onction.

Le sol était gelé et les fossoyeurs eurent du mal pour creuser sa tombe. Une bise glacée soufflait de façon continue. Une lumière grise et froide tombait sur le petit cimetière à flanc de colline. Devant les pierres tombales il y avait de petits vases. Certains contenaient encore des fleurs flétries, ratatinées.

Je suivais le curé et les porteurs du cercueil. Les hommes avaient des cravates sombres, les femmes des fichus noirs ; le pin du cercueil était de couleur claire.

Quand on le descendit dans le trou je détournai la tête. Le curé prononça son oraison mais je ne l'écoutai pas. Je pensais au vieil Henri. S'il s'était laissé mourir c'était un peu de ma faute ; je faisais le rapprochement avec le vol de sa collection ; je me disais que j'avais eu tort d'obéir, que j'aurais dû inventer n'importe quoi pour ne pas montrer les cartes postales.

Ce souvenir, j'étais incapable de le chasser car les Allemands n'avaient pas disparu ; ils étaient toujours là, en chair et en os, avec leurs chiens et leurs chars. J'avais honte de ma faiblesse et de ma peur, et je me mis à les haïr.

Ainsi, je ne les avais pas détestés pour ce qu'ils faisaient aux Juifs, pour la fermeture de l'atelier de mon père et les atrocités dont on parlait devant moi ; non, je m'étais mis à les haïr pour une collection de cartes postales dont ils avaient privé un vieillard qui n'était pas mon grand-père.

Bien des années plus tard, en analysant ma réaction de l'époque, je compris qu'elle avait tout à voir avec mon sentiment de culpabilité. Pas celui de Daniel Descamps et de son univers fabriqué, non, celui de P'tit Paul, dont j'avais oublié l'existence et qui, lui, ne se serait pas dégonflé.

Nous eûmes un Noël triste. Mes parents me manquaient. J'étais sans nouvelles d'eux depuis si longtemps. Le froid martelait la campagne et nous gardait prisonniers à l'intérieur de nous-mêmes. Il n'y avait de place que pour un mince et fragile espoir. L'école n'était pas chauffée ; le ravitaillement devenait difficile ; je m'enfermais dans une sorte de passivité comme si la guerre se déroulait loin d'ici et qu'elle ne me touchait pas. Un matin de janvier, je fus de nouveau concerné.

XIV

C'ÉTAIT UNE JOURNÉE DE PLUIE, une journée en tous points semblable aux autres, sauf que pour une obscure raison l'école était fermée. De la campagne montait une brume froide ; le souvenir de l'été, de ses toits brillants, de ses vergers, des vignes alourdies de grappes, me semblait appartenir à une autre vie.

Je m'étais abrité sous un arbre ; je regardais l'eau couler dans le caniveau. Les bruits me parvenaient, amortis, comme s'ils arrivaient d'une autre dimension.

Lucie, malgré mes tentatives d'approche, continuait à me tenir écarté de ses sorties. Elle devenait de plus en plus taciturne et secrète, me traitant comme un morveux du coin. Mon univers s'arrêtait aux limites du village, et j'aurais voulu l'accompagner, connaître les ressources de son imagination, mais elle me rembarrait : « Fiche-moi la paix, disait-elle ; j'ai pas besoin de chaperon. »

La situation s'était tendue. Les Allemands avaient perquisitionné dans quelques fermes à la recherche d'armes, de bombes artisanales, de réserves de nourriture pour ceux qu'on appelait les maquisards.

On les disait organisés en petits groupes pour se déplacer avec plus de facilité. Ils voyageaient de nuit à travers la forêt et trouvaient refuge le jour dans les innombrables galeries souterraines de la région.

L'armée allemande occupait la plupart des villages aux alentours mais on ne savait toujours pas ce qu'ils préparaient. Les nouvelles s'infiltraient de maison en maison, déclenchant une cascade de commentaires qui duraient des nuits entières.

Chez les trois sœurs, il y avait quelque chose d'anormal dans l'air ; un halo de mystère planait ; quelque chose d'héroïque et de terrible à la fois : Marie et Odette ne se disputaient plus.

J'ignorais la signification de cette accalmie mais mon instinct me disait qu'il se passait quelque chose ; quelque chose qui allait au-delà de la mort du vieil Henri. Les sœurs écoutaient Radio Londres et ne parlaient plus que par code, utilisant des phrases du genre : « La vie est tout de même curieuse pour qui sait observer entre minuit et 3 heures du matin. »

Je n'ai pas oublié celle-là car je l'ai retrouvée plus tard dans *Quai des brumes*, un roman de Pierre Mac Orlan. C'est Isabel, un boucher assassin amateur de musique religieuse, qui la prononce.

Je n'ai jamais su ce qu'elle signifiait dans le langage chiffré des sœurs.

Il y avait un tas d'allées et venues. Je m'en apercevais en rentrant de l'école. Je tombais sur des indices ; ici un mégot oublié dans un cendrier ; là des verres encore humides au bord de l'évier. On me tenait en marge de ce qui se tramait ; la Résistance était un sujet prohibé.

Toujours abrité sous mon arbre, je détachai mon regard des feuilles et des brindilles qui voguaient parmi les tourbillons pour m'intéresser à une curieuse silhouette. C'était celle d'un paysan qui avançait les épaules basses, un bâton de marche à la main. Ses chaussures et le bas de son pantalon étaient couverts d'une gadoue fraîche comme s'il sortait des labours. Il semblait hésiter quant au chemin à suivre.

Sur la place, deux S.S., aussi rigides que des soldats de plomb, montaient la garde. La capote ruisselante, ils regardaient dans ma direction. Le paysan était trempé de la tête aux pieds ; la vieille pèlerine dont il avait relevé le capuchon ne devait pas être imperméable ; elle dégoulinait, gorgée d'eau.

Le ciel était bas, couvert de nuages noirs ; des éclairs traversaient l'horizon mais l'orage était trop loin pour que le bruit de la foudre me parvienne. La pluie redoublait. Des oiseaux voletaient de branche en branche, tentant de trouver un meilleur abri. Le crépitement de l'averse sur les tuiles rendait le silence plus profond.

L'homme passa à une dizaine de mètres de moi sans me remarquer, s'ébrouant comme un chien mouillé. Sous le coup d'une impulsion, je me mis à le suivre. Il tourna le coin de la rue et s'arrêta. Il inspecta les alentours et repartit en frôlant les murs dans le dédale des rues latérales.

Je me rendis compte qu'il essayait de reluquer à l'intérieur des maisons. En effet, il s'approchait d'une fenêtre, y jetait un rapide coup d'œil, et recommençait son manège à la fenêtre suivante.

Derrière moi, la rue était vide. Les sentinelles étaient restées à leur poste. Je décidai d'en avoir le cœur net. Tout étranger était suspect, et Dieu sait quel malheur cet homme traînait dans ses chaussures pleines de gadoue.

Je me demandais ce qu'il pouvait bien trafiquer. Il ne devait pas être bien riche pour être aussi mal fagoté. Peut-être avait-il faim ; n'osait-il pas frapper aux portes pour mendier ? Je n'étais plus qu'à quelques mètres de lui quand l'idée me vint qu'il s'agissait d'un maquisard perdu qui cherchait refuge pour échapper aux soldats... à moins que... à moins que ce ne fût un espion allemand !

À cette éventualité, je m'arrêtai net. C'est alors que j'entendis siffler. Je me retournai. Il n'y avait personne. Je levai la tête en direction des fenêtres du premier étage, elles étaient closes.

L'air m'avait paru vaguement familier, mais avec le bruit de la pluie j'avais eu du mal à l'identifier. Le sifflement reprit. D'un coup, je réalisai qu'il provenait du paysan ; nous étions seuls dans la rue. Intrigué, je m'approchai, dressant l'oreille, suspendu aux notes que j'entendais.

J'eus l'impression de voir s'écouler un long moment avant qu'elles ne prennent une signification. Une note s'enchaîna à la suivante, puis une autre encore. Le paysan sifflait un air gai, presque rassurant ; c'était un air hongrois, mon préféré : *Jonquille* en français.

Je me mis à le siffler à mon tour.

XV

L'ÉTRANGER S'ÉTAIT RETOURNÉ avec frayeur, se demandant qui pouvait bien se faire l'écho de ce vieil air hongrois. Il ne s'attendait pas à tomber nez à nez avec moi. Ses joues mal rasées, son accoutrement lui donnaient l'allure d'un paysan, mais eux avaient le visage tanné par le grand air et les intempéries, tandis que le sien était pâle, gris, semblable à celui des réfugiés qui venaient dormir sous les combles du 55 de la rue Montorgueil.

Il essuya d'une main tremblante l'eau qui coulait sur son front. Je tentai de me souvenir où je l'avais rencontré quand il prononça des paroles incompréhensibles avant de murmurer :

– Paul ? C'est bien toi ?

J'étais terrifié. Personne dans la région ne connaissait mon vrai nom. La prudence exigeait que je batte en retraite, que je fuie cet inconnu qui croisait mon chemin. L'homme dut le sentir car il releva le capuchon de sa pèlerine et dit :

– C'est moi, Joseph, ton père.

Nous restâmes à nous dévisager, stupéfaits, ne sachant pas par quel bout commencer.

Il me contemplait avec une sorte d'émerveille-ment, un sourire sur ses lèvres bleuies de froid. Puis, comme je demeurais sans réaction, il me tendit la main, ne trouvant sur l'instant d'autre façon de briser la gêne que nous ressentions.

D'un coup je sentis mes jambes flageoler et mon cœur sur le point d'éclater. Ce nom, Joseph, re-montait du plus profond de moi-même avec son lot de merveilleux souvenirs attachés à l'époque où je m'appelais P'tit Paul. Je me précipitai dans ses bras. Il m'embrassa, d'abord timidement, puis avec une joie débordante.

– Paul, Paul, disait-il, prenant mon visage entre ses mains. Je savais que je te retrouverais. Tu as vraiment changé.

C'était vrai, j'avais changé.

– Je m'appelle Daniel, dis-je avec un regard in-quiet.

Joseph semblait avoir oublié ses conseils de pru-dence. Nous ne pouvions pas rester au milieu de la rue ; c'était dangereux. Heureusement, la pluie te-nait à l'écart les curieux et je l'entraînai en direc-tion d'un abri.

Je connaissais par cœur les circuits qu'emprun-taient les patrouilles allemandes, et je pris la direc-tion d'une grange au fond d'une courette où l'on stockait des ballots de fourrage de la moisson précédente. Personne n'y venait, à part Lucie et moi.

Une fois à l'intérieur, je refermai les battants. Joseph enleva sa pèlerine et je la suspendis à un clou. Elle était aussi lourde qu'un animal. Mon père se frotta le cou et la tête avec une poignée de paille, puis nous nous employâmes à rattraper les mois perdus.

Il refusa que j'aille lui chercher à manger ; il préférait m'entendre. La peur et les privations avaient creusé son visage, mais ses yeux étaient humides de joie tandis que je laissais mon excitation s'envoler sur les aspects de ma nouvelle vie.

À la fin, je lui parlai de la collection de cartes postales, de la mort du vieil Henri, et de l'Obersturmbannführer Wölk qui disait être un ami de la France. « Il faut que tu me pardonnes de te faire endurer ça, Paul, me disait-il, ils le paieront. Je te jure qu'ils le paieront. »

Je rectifiai : « Daniel, papa, c'est Daniel. »

Nous étions installés derrière une pile de ballots et nous parlions à voix basse. Les contours de la grange s'estompaient. De temps à autre, je me levais pour jeter un coup d'œil dans la courette ; il continuait de pleuvoir et je n'apercevais rien de suspect.

Joseph répondit brièvement à mes questions. Sans doute avait-il beaucoup plus long à dire, mais il éluda les passages les plus pénibles et les plus douloureux de son existence, minimisant les risques qu'ils encouraient ma mère et lui.

Martha se portait bien. Ils habitaient le même appartement. Le ravitaillement était leur principal souci ; il leur arrivait de se coucher le ventre vide pour se réveiller l'estomac noué de crampes, la bouche rêche, comme remplie de sable. Dans l'ensemble, ils tenaient le coup.

Il me donna des nouvelles du grand-père et de mon oncle maternel ; mes parents avaient la certitude qu'il collaborait avec les Allemands.

Joseph me raconta que c'était grâce à un nommé Raoul, il me précisa que ce n'était pas là son vrai nom, qu'il avait réussi à venir jusqu'à moi. Ce Raoul faisait partie d'un réseau qui aidait les Juifs à quitter Paris.

Joseph et Martha avaient le cœur désemparé ; ils ne pouvaient plus supporter d'être sans nouvelles, et un ami de mon père lui avait parlé de Raoul qui avait les contacts nécessaires pour ce genre d'opération. Les routes étaient encombrées de gens qui fuyaient la capitale ; ils fuyaient à pied, en bicyclette, sur des charrettes, emportant ce qu'ils pouvaient.

Il n'était pas question pour Joseph de me donner des détails sur les étapes de son voyage. Le jour, il se terrait dans la campagne, et avançait la nuit, rampant parfois quand il croyait entendre du bruit. Il avait fait les derniers kilomètres à marche forcée, s'était égaré à deux reprises, mais grâce à Dieu il n'avait croisé aucune patrouille.

Peu à peu la réalité de la situation me pénétra, et une pensée se mit à gonfler dans mon esprit comme sous l'effet d'un levain, prenant des proportions terrifiantes.

Je songeais aux tranches de gros pain blanc, à la motte de beurre et aux compotes d'Amancine ; je mangeais à ma faim ici, j'avais un nouveau nom et une nouvelle famille, je dormais dans un vrai lit, je chantais dans la chorale et les villageois venaient à la messe m'écouter. Non seulement Joseph était en danger dans ce village, mais sa présence menaçait ma propre sécurité.

Je demandai à mon père ce qu'il comptait faire maintenant qu'il me savait vivant et en sûreté. Il me répondit qu'il n'en savait rien. Il n'avait rien prévu pour son retour. Après un silence, il ajouta, comme s'il comprenait ce qui se passait dans ma tête :

– Ne t'inquiète pas. Je repartirai dès qu'il fera nuit. Nous autres Juifs, nous sommes condamnés à nous cacher ; mettre en péril ta situation ne nous aiderait ni l'un ni l'autre.

Il exhalait une odeur de terre et de paille, et dans ces vêtements mouillés et miteux il avait l'air pitoyable. Je distinguais ses grands yeux tristes, pareils à ceux d'un oiseau effarouché.

Une insidieuse douleur pesa sur ma poitrine à l'idée qu'il était traqué et poursuivi parce qu'il était juif ; un crime inconnu que je refusais de reconnaître ; une maladie mortelle dont je ne voulais pas souffrir.

Bien des gens se trouvaient dans son état ; moi, j'en étais sorti et je refusais d'y entrer à nouveau. J'étais à l'aise dans ma nouvelle peau ; tout me réussissait, et les inquiétudes qui me troublaient n'avaient rien à voir avec la condition de Juif. J'avais accepté de quitter Paris pour faire plaisir à mes parents et j'avais découvert qu'il existait une autre vie que celle d'avoir à se cacher, d'être étiqueté et désigné du doigt ; rien n'était inévitable, je m'en étais aperçu.

Je regardais mon père différemment. Quelque chose me serra le ventre ; un formidable instinct de survie m'écartait de lui, de ce qu'il m'avait transmis sans rien expliquer. Je n'étais pas un pestiféré et je savais ce qu'il fallait faire pour m'échapper ; rien ne me poussait à accepter ce rôle de victime que mes parents m'avaient légué.

J'eus le désir d'aller vers lui pour m'excuser d'avoir de telles pensées ; quelque chose m'en empêcha. En proie à l'émotion, je me levai et me mis à marcher en silence. Je gardais la tête haute, une lueur de défi dans le regard. C'était un moment décisif pour l'un comme pour l'autre. Mon père avait une fois de plus démontré son courage en venant ici. Mon tour était venu de lui prouver qu'il pouvait compter sur moi ; mais pas comme un Juif solidaire d'un malheur originel, non, j'étais devenu quelqu'un d'autre et la vie m'avait remodelé. Je me sentais dans ce village comme si j'y avais grandi ; j'en savais assez sur ses coutumes, ses habitants et ses occupants. J'agirais certes, mais comme l'aurait fait un garçon du coin, pour régler un compte personnel avec les Allemands.

– Tu ne peux pas partir cette nuit, dis-je brusquement.

– Si je reste je te mets en danger. Je ne suis pas venu pour ça. Moi, ma vie est faite, et toi... toi tu es encore un enfant. Ta mère ne me le pardonnerait pas.

La logique de son raisonnement m'échappait. Maintenant, il me considérait comme un enfant alors qu'il m'avait expédié dans l'inconnu sans se soucier de savoir si j'avais une chance de m'en sortir.

Je lui tournai le dos pour ne pas lui montrer que j'étais à deux doigts d'éclater en sanglots.

– Tu ne peux pas partir comme ça, répétai-je, revenant à ses côtés. Je connais des gens qui peuvent t'aider.

De toute mon âme je me sentais prêt à affronter le danger pour lui venir en aide.

– Qui ? demanda-t-il.

J'eus le sentiment d'en avoir trop dit, ou pas assez. J'avais en tête la visite de l'inconnu de la Résistance.

– La famille chez qui je vis. Ils sont pour la « Résistance ». Il suffit de leur dire : « Je viens de Bretagne. » C'est ce qu'il faut dire quand on est juif et qu'on cherche du secours.

Mon père me fixa longuement. Je vis dans ses yeux briller une lueur bizarre ; il découvrait que j'avais laissé loin derrière le gamin qu'il pensait retrouver.

Il approcha son visage du mien et me sourit.

– Il faut jouer la comédie, ajoutai-je. Ils ne doivent pas découvrir que je suis ton fils.

Mon père acquiesça. Nous mîmes au point une histoire, et malgré la tension qui régnait nous trouvâmes prétexte à rire.

À midi et quart je l'abandonnai dans la grange pour m'élancer dans la rue. Deux cents mètres me séparaient de la maison des trois sœurs. Je filai comme un trait et j'arrivai saucé de la tête aux pieds par la pluie. Je repérai le vélo d'Odette sous l'appentis ; elle était rentrée de la mercerie. Ça tombait bien, c'était elle que je voulais voir.

Je passai par la porte de la cuisine, entrai et m'affalai sur une chaise. Une odeur d'oignons s'échappait d'un pâté qu'Amancine sortait du four. Odette s'essuyait les cheveux avec une serviette.

– Qu'est-ce qui t'arrive ? me demanda Odette. Tu as vu dans quel état tu t'es mis ? Tu es trempé jusqu'aux os ! Où est ton imperméable ?

Je l'avais laissé dans la grange. J'eus un instant d'hésitation, mais cet oubli collait avec l'histoire que je m'apprêtais à raconter. Des rigoles d'eau glacée me coulaient entre les omoplates, et je ne pus m'empêcher de frissonner et de claquer des dents.

Amancine, en découvrant mon état, prit les choses en main. Que j'attrape quelque chose aux poumons était sa hantise, et je dus me sécher les cheveux, me frictionner à l'eau de Cologne et passer des vêtements chauds avant de revenir dans la cuisine.

Odette était installée à table. Je pris place à mon tour. Amancine posa une assiette de soupe devant moi.

– Mange quand c'est chaud, ordonna-t-elle.

– J'ai vu un homme bizarre, dis-je.

Odette leva les yeux au-dessus de son bol de bouillon.

– Il était dans la grange de la mère Mathilde, précisais-je.

– Et tu faisais quoi dans la grange de Mathilde ?

Je haussai les épaules.

– Rien. Je suis entré pour m'abriter de la pluie.

Odette secoua la tête devant cette idée saugrenue.

– Et tu as vu un homme bizarre dans sa grange.

– Oui. J'ai cru que c'était un paysan, mais...

– Mais quoi ?

– C'en était pas un. C'était quelqu'un d'autre.

– Un étranger ?

– Je crois, mais il parlait français avec un accent très fort.

Je marquai un temps d'arrêt que je mis à profit pour avaler deux cuillerées de soupe. Je songeais à Joseph, transi de froid et de faim, caché derrière les ballots de paille. J'avais assez perdu de temps. Je me décidai.

– Il dit qu'il vient de Bretagne.

Je baissai la tête pour enfourner une nouvelle cuillerée.

– C'est ce qu'il t'a dit ? demanda Odette.

J'avais fait mouche. Sa voix avait changé. Elle comprenait le contenu du message.

– Quand je lui ai demandé d'où il venait, il m'a dit : « Je viens de Bretagne. »

– Tu en es sûr ?

J'acquiesçai. Odette se leva. Elle était habituée aux décisions rapides.

– Il est toujours là-bas ?

– Je ne sais pas. Il avait un bâton à la main alors j'ai eu peur et je me suis sauvé en oubliant mon imperméable.

Odette enfila son ciré encore dégoulinant et prit un parapluie.

– Je vais voir, dit-elle à Amancine. J'en ai pas pour longtemps.

XVI

ON INSTALLA MON PÈRE DANS LA CAVE. Il raconta aux sœurs l'histoire que nous avions mise au point ; celle d'un Juif hongrois qui cherchait à regagner Paris pour aider sa belle-sœur et son neveu à s'enfuir.

Je n'eus pas l'occasion de revoir Joseph durant son séjour chez les trois sœurs. Je l'aperçus quand il pénétra dans la cuisine derrière Odette ; il tremblait de froid et de faim. Nous n'échangeâmes pas la moindre parole, pas le moindre signe de connivence.

J'aurais voulu être aux côtés de mon père pour le réconforter, mais les sœurs montrèrent une sorte de vigilance, m'interdisant d'emprunter l'escalier. Même si j'avais pu tromper leur surveillance, j'étais convaincu que la porte était fermée à clé.

Je me résignais. Joseph mangeait à sa faim et j'étais heureux de le savoir en sécurité. Ni moi ni les sœurs n'allions trahir sa présence ; il restait à convaincre Lucie de cette loi du silence, et j'eus à ce sujet l'occasion de surprendre une conversation entre Odette et Marie.

Lucie n'était pas encore rentrée. Les deux sœurs s'étaient réunies dans la cuisine pour examiner la situation.

Odette, l'air déterminé et sombre, se tenait devant l'évier, une assiette et un torchon à la main. Marie était près de la fenêtre, le visage plus pâle que d'habitude. Elle regardait dehors avec une inquiétude instinctive.

– Qui va lui dire pour le type que nous cachons dans la cave ? chuchota Odette.

– Toi, dit Marie en essuyant la buée sur les carreaux.

Odette secoua la tête.

– Non, fit-elle. Tu lui parles toi. Tu sais comment elle est ; elle fera le contraire de ce que je lui dis juste pour me contrarier. Tu as vu l'heure ? Elle n'est pas encore rentrée ! Par un temps pareil ! Dieu sait ce qu'elle est en train de fabriquer !

– Elle n'a que quinze ans, plaida Marie.

– Justement ! C'est bien suffisant pour faire des bêtises.

Marie soupira, puis répondit.

– Quand est-ce que tu vas te décider à lui dire la vérité ?

Odette continuait de passer le torchon sur l'assiette. Dehors, une lumière grise s'étalait ; la pluie glissait sur les vitres en petits ruisseaux.

– Elle comprendra, je t'assure, continua Marie. Il vaut mieux qu'elle sache. Après tout...

– Tu es folle ! lança Odette.

Elle tenait l'assiette serrée contre sa poitrine comme si elle cherchait à étouffer les battements de son cœur et calmer son émotion.

– Non, dit-elle. Ce n'est pas le moment. On a suffisamment d'ennuis comme ça.

Cette conversation, que j'oubliai aussitôt, ne prit son véritable sens que bien plus tard.

Un matin, tandis que je m'employais à préparer le café conformément aux instructions d'Amancine, elle me demanda de descendre à la cave et je compris que mon père était parti.

Quand je le revis, il m'apprit qu'il avait quitté la maison un jour plus tôt que prévu. Après mon départ pour l'école, on l'avait installé dans la carriole du laitier pour le transporter dans une ferme en dehors du village. Le laitier lui avait bandé les yeux avant de le faire descendre, et il n'avait pas le moindre indice sur l'endroit où il se trouvait. Des gens de la Résistance, qu'il était incapable de reconnaître, l'avaient acheminé à l'aube jusqu'à une camionnette délabrée remplie de légumes. Ainsi, de camionnette en camionnette, de chauffeur en chauffeur, on l'avait transbahuté jusqu'à Paris sans l'autoriser à poser la moindre question. Le trajet avait duré trois jours.

Je me sentais libéré par son départ. Ainsi, pour une période dont je n'apercevais pas le terme, je n'avais que ma propre inquiétude comme seule préoccupation. Je n'eus pas à attendre longtemps avant de vérifier le bien-fondé de cette impression.

XVII

L E SOIR MÊME, APRÈS LE DÎNER, Marie posa sa main
sur mon front, se tourna vers ses sœurs et annonça :

– Daniel a de la fièvre.

Je me sentais fatigué, la tête lourde, mais au premier abord la conclusion que j'en tirai m'enchanta.
J'allais manquer l'école, rester au lit, et lire *Le Journal des expéditions*.

– Il a pris froid, dit Amancine.

Je devais donner l'image de la satisfaction car
Odette ajouta en agitant la main dans ma direction :

– Si je ne t'avais pas vu ramasser la pluie sans ton
imperméable !

On me prépara un mélange d'eau chaude et de
sucre renforcé par quelques gouttes d'eau-de-vie.
Après avoir avalé le breuvage je filai au lit avec une
couverture supplémentaire. Je m'endormis aussitôt, décidé à jouer la comédie, assuré d'être en pleine
forme le lendemain.

J'ouvris les yeux. Il faisait nuit. J'attendis un moment avant que le carillon de la vieille horloge ne sonne. 5 heures ! Il n'était que 5 heures ! Je tâchai de me rendormir quand je fus pris de frissons, de tremblements ; une ondée glaciale me secouait, je claquais des dents. Je me recroquevillai sous les couvertures. La bourrasque dura plusieurs minutes et me laissa avec la sensation opposée. Mon corps, mon front, surtout, brûlaient. Je me rappelais ma mère au moment de sa fausse couche. J'avais peur. Ma tête s'emplissait de bourdonnements, et l'obscurité se mit à flotter comme un nuage prêt à crever. J'étais conscient, parce que je sentais une gêne dans la poitrine chaque fois que je respirais. Mon esprit s'agitait dans tous les sens ; des pensées bizarres me traversaient si rapidement que je ne pouvais en retenir aucune. Puis, des personnages baignés d'un brouillard bleuté surgirent. Ils semblaient se tenir dans un coin de la pièce. L'un d'eux ressemblait à mon père. Il était assis sur une chaise à bascule. Des boutons brillaient sur son uniforme ; un foulard rouge autour du cou, il me dévisageait avec les yeux d'un mort. « Bonjour, Paul », me dit-il. Il répéta mon nom plusieurs fois. « Je sais, c'est une honte, ajouta-t-il. Un moment d'oubli, de distraction. Cela ne se reproduira plus. »

Il se mit à rire et je criai de peur. Peu après, une étrange lumière se balança au-dessus de moi ; des ombres se penchèrent, rapetissées comme des poupées de chiffon. Elles murmuraient des choses que je ne comprenais pas. Je fus pris de vomissements.

Ce qui suivit, je ne le découvris qu'une fois libéré du délire de la fièvre.

Le jour brillait. Des nuages poussés par le vent découvraient des morceaux de ciel. La gêne qui pesait sur ma poitrine avait disparu mais j'avais l'impression d'avoir accompli un exercice physique colossal. La maison était silencieuse, la chambre vide, les objets à leur place ; une odeur familière flottait. Sur la table de chevet se trouvait une bouteille d'eau de Cologne ; c'était l'odeur que je sentais. La bouteille appartenait au vieil Henri ; sa présence continuait de peser dans la maison même si je n'entendais plus le cuir de ses bottines craquer.

Je repoussai les couvertures et l'apaisement que j'éprouvais s'envola. Le pyjama que je portais n'était pas celui avec lequel je m'étais couché. Celui-là était de couleur claire, propre, et fraîchement repassé. Je tournai mon regard vers la table de chevet. À côté des flacons qui s'alignaient je découvris un verre ; il était rempli d'un liquide aux reflets de paille. Un thermomètre était plongé dedans. Aussitôt, le sentiment d'une catastrophe me glaça. Mis bout à bout, ces deux éléments, le pyjama propre et le thermomètre, étaient synonymes de désastre. On m'avait déshabillé, changé, et on avait pris ma température. Le pire m'était arrivé : on avait découvert que j'étais circoncis.

C'était une chose terrible d'être reconnaissable à un détail ; un détail qu'ils avaient certainement dû remarquer. Un détail qui gâtait toutes mes chances. Comment n'y avais-je pas songé en me couchant ? J'avais oublié une chose qu'il ne m'était pas permis d'oublier. Joseph m'avait prévenu : dans une affaire pareille il *fallait* à tout prix passer inaperçu !

Le sang me battait les tempes. Je ne me souvenais de rien. Pris d'un doute je baissai mon pantalon de pyjama. Je portais un caleçon, propre lui aussi.

Mon ventre me faisait mal. Je voulus me lever pour aller aux toilettes mais la peur m'en empêcha. Était-ce la peur de mourir ? Celle d'être dénoncé ? C'était pire. La terreur d'avoir été démasqué, de n'être plus comme les autres, de ressembler à une tortue sans carapace.

Des larmes glissèrent sur mes joues. Elles tombaient, dessinant de petites auréoles sur la veste de mon pyjama.

Je m'entendis répéter mécaniquement ce que le concierge disait de nous : « Je suis coupé ! Je suis coupé ! »

Enfin, je sombrai dans le silence. Mes larmes ne coulaient plus. Les yeux écarquillés, incapable de faire le moindre geste, je regardais la silhouette des arbres. Dix minutes passèrent, vingt peut-être. Je restais assis au bord du lit, dans une sorte de stupeur, et quand je compris que la confrontation devait fatalement survenir je recouvrai mes esprits.

Pour la première fois depuis mon arrivée dans ce village, je me sentis totalement abandonné. Je me vis rasant les murs, évitant les regards, écrasé par mon secret ; un secret que j'avais fini par oublier.

Je m'imaginai rouge de honte, bredouillant dans ma détresse des choses incompréhensibles, tandis que les trois sœurs m'accableraient de reproches. Après tout, je les avais trompées ; je leur avais menti.

Il y avait pire. Jamais plus je ne serais Daniel Descamps. Je redevenais l'étranger, le Juif recueilli par ignorance, celui qui avait profité de la bonne foi et de l'hospitalité d'une famille chrétienne. On allait se réunir et prendre la décision de m'expédier ailleurs ; on discuterait, on se disputerait à mon sujet ; on me regarderait avec hostilité et méfiance. J'avais une apparence nouvelle, menaçante et, avec la présence des S.S. et des affaires de résistance qui se tramaient, je représentais un danger trop grand pour courir un tel risque.

L'idée était terrifiante ; elle me donnait le tournis. J'avais vécu dans l'insouciance sans m'en rendre compte, et je prenais conscience de la réalité. Des fragments de mon existence dans ce village se mirent à tournoyer dans ma tête ; les biscuits aux amandes, les gâteaux, le vin sucré ; les repas du dimanche où j'avais droit aux meilleurs morceaux ; l'église, si silencieuse quand nous chantions la messe ; les regards de fierté des trois sœurs... ma chambre où je m'endormais entouré du parfum des fleurs et des arbres que je devinais derrière les rideaux. Ces journées passaient devant mes yeux, m'abandonnant à la traîne ; je ne pouvais plus m'y accrocher. Elles disparaissaient, laissant un vide qui m'oppressait ; un vide impossible à combler. Odette disait que dans la vie les bons moments se payaient un jour ou l'autre ; c'était une chose que j'avais eu du mal à comprendre ; apparemment il n'y avait rien à comprendre, le sort me jouait un mauvais tour et le monde ne tournait pas uniquement comme je le désirais. Il m'écrasait. Si seulement tout ça était arrivé quelques jours plus tôt, me disais-je, je me serais enfui avec Joseph.

Après la visite de l'Obersturmbannführer Wölk et la mort du vieil Henri, j'avais cru que rien de pire ne pouvait m'arriver. J'imaginais avoir vécu les moments les plus difficiles ; à présent, il y avait pire : je n'y voyais plus clair. J'énumérai les vicissitudes et les humiliations qu'il me faudrait endurer. Je ne pouvais plus rester dans cette maison ; je devais m'enfuir, c'était évident. Où ? Je n'avais nulle part où aller.

Mon sentiment de panique atteignit de telles proportions que j'ouvris la bouche et poussai un cri silencieux. J'étais sans force. Je n'attendais désespérément qu'une chose, que ma fièvre monte à nouveau pour oublier tout ce qui s'était passé jusqu'alors, et tout ce qui se passerait dans l'avenir. Je m'endormis épuisé, entouré d'ombres sinistres dans un paysage noir et désolé.

XVIII

UNE VOIX QUI SEMBLAIT SORTIR d'un rêve disait :
— La fièvre est tombée. Je pense qu'il est tiré d'affaire.

J'entendis des soupirs de soulagement. J'étais cloué dans mon lit, le cœur serré par un étau. J'ouvris péniblement les yeux.

La pièce était pleine de gens. Je les distinguais à travers mes cils qui clignotaient. Je crus reconnaître les trois sœurs et Lucie. Au-dessus de moi se tenait un homme. Il me regardait fixement. Je refermai les yeux. J'étais couché sur le dos, immobile. Imperceptiblement je soulevai les paupières. Je ne rêvais pas. La silhouette était à la même place et continuait à me dévisager.

— Laissez-moi seul avec mon malade, reprit la voix.

Il y eut des bruits de pas et la porte se referma. Le docteur, car c'était lui, tira une chaise près de mon lit.

Je demeurai silencieux. Quelques minutes s'écoulèrent. Le docteur ne semblait pas pressé. Les coudes appuyés sur ses genoux, le menton reposant sur ses mains, il attendait.

– Je sais que tu ne dors pas, tu fais seulement semblant, dit-il avec un rire tranquille.

J'ouvris les yeux et le regardai timidement. Lui m'examinait derrière ses lunettes à monture de fer.

– Tu as déliré pendant deux jours, mon petit Daniel. Nous nous sommes fait du mauvais sang à ton sujet. Comment te sens-tu ?

Je haussai les épaules.

– Pas très bien.

– Tu as faim ?

Je hochai la tête. J'étais affamé. Je me sentais incapable de mentir en affirmant le contraire.

– C'est bon signe.

Il posa sa sacoche sur le bord du lit et me demanda de m'asseoir et d'enlever ma veste de pyjama. Il m'ausculta un long moment.

– Tu siffles un peu mais les bronches sont en train de se dégager.

Il rangea son stéthoscope et se rassit.

– On n'a jamais fait mieux que les cataplasmes de farine de lin. Ma mère m'en faisait quand j'avais la crève, ajouta-t-il.

Je remis ma veste de pyjama et me laissai tomber sur l'oreiller.

– Nous devons avoir une petite conversation tous les deux, dit-il.

Je voyais bien qu'il m'observait d'une façon particulière, comme s'il avait découvert à mon sujet quelque chose de nouveau ; son expression semblait grave, quelque peu sévère même.

Je n'avais pas la moindre chance de me dérober. Je ne pouvais plus jouer la comédie.

Mon visage dut exprimer la panique car il me tapota la main et continua :

– Ne t'inquiète pas. Je n'ai rien dit à personne. Cette chose restera entre nous. C'est moi qui me suis occupé de toi, qui ai pris ta fièvre ; j'ai même changé ton pyjama et ton slip.

Comme si cela ne suffisait pas, il ajouta :

– Il n'y a aucune raison de te tourmenter. Par les temps qui courent tout le monde cherche à s'abriter, à trouver un refuge, à passer pour un autre ; c'est comme qui dirait... de bonne guerre.

Est-ce que je pouvais croire à ce qu'il me disait ? Me réservait-il d'autres surprises ? Il enleva ses lunettes et essuya les verres avec un coin du drap. Il m'expliqua que c'était lui qui, lors de sa première visite, avait apporté le thermomètre, pris ma température, et découvert ce que je n'étais plus en mesure de dissimuler.

– Si tu veux nous en parlerons quand tu seras en forme, proposa-t-il. Quel est ton vrai nom ?

– Paul Varga.

Il se leva et demeura le regard perdu, puis remit son béret. Pour les gens de la ville il avait l'allure d'un paysan, mais ce n'était qu'une allure et elle ne trompait pas les villageois.

– Où sont tes parents, Daniel ? me demanda-t-il sans sourire.

– À Paris, rue Montorgueil.

– La guerre nous a réunis tous les deux comme des oiseaux égarés dans la brume, déclara-t-il, pris d'une inspiration. Ce n'est pas dans cette direction que nous poussaient nos élans. Non, ce n'est pas du tout vers ça. Notre heure reviendra, il suffit d'être résolu. Continue comme si de rien n'était et sois prudent. Tiens ta langue, et ne te laisse pas envahir par le sentiment que tu ne risques plus rien.

À sa façon, il me donnait l'absolution et un avertissement. Son attitude me réconforta moyennement. Dans l'état où j'étais, j'avais surtout envie de pleurer.

– Je te laisse aux trois sœurs, me fit-il avec un petit geste de la main, elles vont te gâter. Bien couvert tu peux te lever dans la maison mais ne sors pas avant que je te le dise.

Ainsi, j'avais imaginé être un autre et je m'étais mis à y croire avec l'entêtement d'un enfant, quasi religieusement, mais mon déguisement avait été percé à jour. J'étais à la merci d'un moment de faiblesse et mon personnage, loin d'être à toute épreuve, m'avait trahi.

Plus tard, je mangeai de bon appétit la soupe de légumes et le blanc de poulet bouilli qu'Amancine avait préparés.

Dehors le vent était fort, mais la chambre était paisible et tiède, et en croquant ces gâteaux aux amandes que j'aimais tant j'avais pris la décision de suivre scrupuleusement le conseil de mon père : « Tâche de te faire oublier », m'avait-il recommandé.

Mon humeur devint indifférente et passive ; elle me donnait une impression de sécurité face aux menaces ; je n'avais plus d'autre occupation que d'observer autour de moi.

Puis vint le 17 novembre. Ce matin-là, la pendule venait de sonner 7 heures, Amancine essuyait la table, et je mettais les bols et les cuillères pour le petit déjeuner quand on entendit des coups de feu. Les chiens se mirent à aboyer ; des aboiements féroces, entrecoupés de cris en allemand. Odette surgit dans la cuisine le visage gonflé de sommeil. Nous nous approchâmes de la fenêtre pour regarder dans la rue. Nous aperçûmes le facteur ; il posa son vélo contre le mur et fouilla dans sa sacoche comme s'il cherchait un courrier qui nous était adressé. Ce n'était pas son heure ; il passait plutôt vers le milieu de la matinée. Odette ouvrit la porte et siffla pour attirer son attention. Dès qu'il entra dans la cuisine, le facteur enleva sa casquette et annonça avec une sorte de tremblement dans la voix :

– Ils viennent de fusiller le laitier.

Amancine s'empressa de tirer les rideaux et Odette donna un tour de clé. Le facteur refusa le bol de chicorée ; il préférait de l'eau-de-vie. Comme il pensait que nous ne l'avions pas entendu, il répéta :

– Ils viennent de fusiller le laitier.

Les chiens s'étaient tus. Il y eut le chant d'un coq, le facteur avala son verre et essuya sa barbe avec la manche de sa veste.

– Ils vont l'exposer sur la place, dit-il.

La fascination de l'horreur était plus forte que la crainte, et on pouvait compter sur les villageois pour venir regarder le spectacle.

Marie nous avait rejoints. Au regard qu'Odette et elle échangèrent, j'eus l'impression qu'elles connaissaient les circonstances et les véritables raisons de cette mort.

– On ne peut pas les laisser faire ça, répliqua Marie.

Le facteur, les cheveux en broussaille, les paupières rouges, remplissait à nouveau son verre.

– Daniel, fit Marie, va voir si Lucie est réveillée et dis-lui de ne pas quitter la maison.

J'étais dans le couloir quand j'entendis la voix d'Odette.

– C'est le travail d'un mouchard, disait-elle.

Odette et Marie avaient quitté la maison. Amancine et Lucie étaient descendues à la cave pour cacher ce qui nous restait de provisions. Cette exécution, la première qui nous touchait de près depuis l'arrivée des Allemands, n'était qu'un prélude ; c'était leur manière à eux de nous signifier que les choses avaient changé.

Attablé devant la bouteille d'eau-de-vie, le facteur n'avait pas bougé de la cuisine. Il vidait verre après verre, sa main tremblait ; il était saoul.

Il marmonnait, parlant des temps heureux où il sortait avec sa femme pour admirer les nuages au crépuscule. Un jour, elle était partie, emportant les robes et les bijoux qu'il lui avait offerts. Les portes de l'enfer s'étaient ouvertes, son travail s'en était ressenti ; l'usine avait périclité et il avait tout perdu. Il s'était confié à un ami qui lui avait conseillé de quitter Bordeaux.

Il semblait envahi d'une rage trop forte pour lui ; il bredouillait des paroles incompréhensibles. Au bout d'un moment, il s'aperçut de ma présence.

« Approche-toi », m'avait-il dit.

J'avais fait quelques pas dans sa direction.

« Plus près ! Les murs ont des oreilles. »

Je m'étais assis en face de lui.

« Tu dois probablement te demander pourquoi je suis venu m'enterrer dans ce trou de bouseux. »

Il paraissait abattu mais après un moment il avait repris avec véhémence :

« Il y a quelque chose derrière tout ça, tu t'en doutes ! »

Il avait rempli son verre et s'était mis à secouer la tête. Il aimait sa femme et n'avait pu supporter l'idée de ne plus la voir. L'eau-de-vie lui brouillait le regard.

« Que penses-tu d'elle, j'aimerais vraiment savoir », avait-il demandé en souriant. « Que penses-tu d'une femme capable de faire une chose pareille, hein ! Qu'en penses-tu ? »

Je ne savais pas quoi répondre ; lui, si avare de propos, éclatait en paroles. Je m'étais contenté de lui rendre son sourire. Il avait reniflé le contenu de son verre avant de l'avaler d'un coup.

Il allait me dire ce qu'il fallait en penser ! Je me trompais en imaginant que les gens n'avaient qu'un seul visage ! Sa femme, il avait mis longtemps à le découvrir, en avait plusieurs. Il disait qu'elle en avait un pour chaque homme qui s'allongeait à ses pieds, lui compris. Plus il y en avait d'ailleurs, et mieux c'était. Il ignorait ce qu'éprouvaient les autres, mais il souffrait comme un damné ; une douleur sublime. Il préférait ça que de mourir d'isolement à petit feu. Sur son front une veine avait jailli, reflétant la confusion de ses pensées. Il avait sorti une fiole de sa poche et la tenait en l'air.

« Tu penses que je ferais mieux de choisir l'autre solution, comme ces résistants qui croquent du cyanure parce qu'ils craignent de parler sous la torture ? »

La fiole était à moitié vide et portait une étiquette marquée « poison ». « C'est de l'acide prus-
sique, mais je ne crois pas que je n'aurai pas le
courage de l'utiliser », avoua-t-il.

Il avait remis la fiole dans sa poche et posé une
main tremblante et chaude sur mon poignet.

« Faut que j'aille aider à la cave », lui avais-je annoncé en me dégageant.

« Tu dois vraiment me laisser ? Bon, dans ces
conditions nous reprendrons notre discussion un
autre jour. Je te remercie de m'avoir écouté. De
toute façon, je crois que j'ai trop bu ; je n'ai pas
l'habitude de boire à jeun ; c'est à cause du pauvre
type qu'on a tué. Sa femme l'a peut-être quitté lui
aussi. Oh ! Une dernière chose : tu n'as pas envie
de me poser une question ? N'hésite pas, parce que
j'y répondrai. Non ? Bon, comme tu veux. Je vois
que tu es plutôt quelqu'un d'intelligent. Merci
pour ta patience. Serrons-nous la main. »

L'air hébété, le facteur était retombé sur sa
chaise. J'ouvris les rideaux. Le soleil ne s'était pas
encore montré, il n'y avait pas de vent et la journée
s'annonçait belle, mais je savais que ce n'était
qu'une illusion.

XIX

L A MORT DU LAITIER marqua le début des attentats et des représailles qui suivirent dans la région, et les nouvelles qui nous parvinrent de Saumur confirmèrent le durcissement des Allemands.

Si la Résistance laissait Lucie indifférente, elle produisit chez moi l'effet inverse. J'y trouvai un moyen d'oublier Daniel Descamps et l'humiliation qu'il m'avait apportée ; épier, être à la fois présent et invisible, me redonnait une sorte d'assurance. J'avais le sentiment d'être moi-même une sorte de résistant passif et silencieux, un peu comme je l'avais été rue Montorgueil quand nous hébergions des clandestins. Ce que je savais pouvait être fatal à d'autres, mais je gardais le silence.

Pour la Résistance, la marge de manœuvre s'était rétrécie, et elle allait se rétrécir sans cesse. Les nazis enchaînaient les arrestations ; la police française livrait des Français à la Gestapo sur simple réquisition, et les tribunaux allemands multipliaient les condamnations à la peine capitale.

La Gestapo, on en parlait beaucoup à la maison, mais nous ne l'avions jamais vue et nous ne la vîmes jamais dans le village. Je crois que cela était dû au fait que nous étions sous commandement S.S. ; ils s'estimaient suffisamment puissants pour ne pas s'embarrasser de fioritures ; ils ratissaient et fusillaient plutôt que d'interroger. Ils n'avaient pas de temps à perdre.

Ainsi, peu à peu, P'tit Paul reprit confiance dans P'tit Paul. J'étais apte à comprendre ce qui se passait autour de moi. Il faut dire qu'à la manière dont les choses se précipitaient, il n'était pas bien difficile de deviner que la plupart de nos visiteurs, les inconnus qui passaient la nuit chez nous en raison du couvre-feu, appartenaient à la Résistance ; de ma chambre, j'entendais leurs conciliabules et leurs chuchotements dans l'attente du petit jour pour quitter la maison.

J'évitais de poser des questions, d'offrir spontanément des suggestions ; d'ailleurs, on ne me demandait pas mon avis.

J'appris ainsi à devenir aussi inconsistant qu'une ombre, à garder pour moi mes observations, mes remarques, mes déductions, à cacher mes émotions, à ne rien dire à personne de ma connaissance de tel ou tel élément de la vie du village, de qui allait chez qui, de qui parlait à qui.

Nous avions fini par apprendre ce que les Allemands faisaient dans le coin : ils aménageaient des galeries souterraines en dépôts de munitions. Le laitier avait été la première victime des tentatives des résistants du village pour découvrir cet emplacement que les Allemands voulaient garder secret, et des victimes il allait y en avoir beaucoup d'autres.

Angers, où se trouvait la direction de la Résistance pour la région, s'impatientait. C'étaient des dépôts importants pour mobiliser ainsi plusieurs compagnies de S.S., et il fallait à tout prix découvrir où les Allemands entreposaient leurs munitions avant de demander à Londres un bombardement.

D'autres mouvements qui appartenaient à des villages voisins avaient le même objectif. Les informations s'échangeaient, ce qui augmentait les risques, mais Odette restait convaincue qu'il y avait un mouchard dans *leur* organisation. Elle manifestait une fureur froide, presque désespérée, devant son impuissance à découvrir celui qu'elle aurait aimé, disait-elle, « liquider de ses mains ».

Le téléphone, les lettres, le télégraphe étaient proscrits ; tout message, tout contact exigeait un déplacement. C'était l'éternel problème ; pour agir il fallait faire confiance aux autres, et la confiance signifiait l'imprudence.

Marie s'occupait d'organiser des abris pour les réfractaires à la déportation. Dans les collines du voisinage, des centaines de jeunes se cachaient ; ils fuyaient les ratissages, dormant dans des galeries, des réduits aménagés dans les fermes, ou des tonneaux vides dans les celliers des vignerons. La nourriture était leur problème quotidien ; le village et les paysans faisaient ce qu'ils pouvaient pour les approvisionner mais cela ne pouvait durer indéfiniment.

Marie me demandait parfois de l'accompagner le samedi à Saumur. Mon missel sous le bras, il m'arrivait de l'attendre face à la devanture d'un fleuriste, ou d'un kiosque qui vendait des billets de la Loterie nationale. Elle en ressortait un bouquet de fleurs à la main et quelques billets de loterie dans le sac. Nous nous y rendions sans hésitation, mais avec des détours, au milieu des gardes mobiles, des miliciens, des agents de la Gestapo et des soldats allemands.

J'imagine qu'elle entrait là pour se procurer des faux papiers, des tickets de ravitaillement volés, transmettre aussi des messages, et prendre des instructions. Ces voyages en train étaient différents de ceux que j'avais eu l'occasion de faire quand nous nous rendions là-bas tous ensemble pour une fête, un anniversaire, ou simplement admirer les vitrines des magasins.

Je comprenais que Marie avait besoin de moi pour passer inaperçue, ne pas donner l'éveil aux miliciens et aux agents allemands à l'allure de vieux messieurs décorés qui rôdaient dans les trains et sur le quai des gares. Elle aurait pu proposer ces voyages à Lucie, mais son hostilité silencieuse, la dureté de son caractère risquaient de produire l'effet contraire en cas de contrôle.

Quand nous prenions le train, Marie s'habillait de façon austère, un fichu noir sur les cheveux comme une femme que la guerre aurait rendue veuve. Elle avait abandonné son sourire ; ses joues avaient perdu leur éclat, et son regard autrefois chaud et réservé était devenu glacial. Nous terminions ces voyages à Saumur par un arrêt au cimetière, puis c'était l'église pour une prière au cas où nous aurions été pistés.

Je connaissais ma leçon : j'accompagnai ma mère pour honorer la mémoire de mon père disparu en déportation. Ainsi, la religion et la mort nous servaient de paravent. J'aurais pu refuser de l'accompagner, mais dans mon cœur je portais le souvenir du courage de mon père comme une sorte de prédestination sublime. Dès le début de mon séjour, mes parents m'avaient fait parvenir de faux papiers au nom de Daniel Descamps.

Ma faculté d'étonnement s'émoussait au fil des jours. Les collines regorgeaient de francs-tireurs ; les S.S. ratissaient les fermes, les collines, les bosquets ; les pertes, disait-on, étaient élevées des deux côtés. Les nuits étaient traversées par le bruit des avions anglais qui parachutaient des armes, par des rafales de mitraillettes, et par le bruit sec des batteries de *flak*.

Les soirs de silence, quand la lune était belle comme le jour et que les collines semblaient taillées dans la même matière, je me réveillais. Les ombres étaient noires, sans demi-teintes, et les clartés sans couleur. Je fouillais dans ma mémoire, mille souvenirs me passaient par la tête et je laissais mon esprit s'échapper. J'étais jeune, libre, puis je me rendais compte que ma gaieté avait disparu, que j'étais loin des jours heureux que j'avais connus dans cette maison. Alors je refermais les yeux pour oublier et le rêve revenait ; toujours le même. J'étais à Paris, rue Montorgueil, et je rasais les murs pour ne pas me faire voir. Je m'arrêtais devant le numéro 55, devant la porte de mon immeuble, et je demandais au concierge qui était à sa fenêtre : « Est-ce que Paul Varga est chez lui ? » Le concierge me regardait en silence ; il ne me reconnaissait pas et je lui étais reconnaissant de ne pas me reconnaître. « Non, me disait-il, Paul Varga est parti et nous sommes sans nouvelles de lui. Peut-être est-il mort, qui sait ! »

Je pénétrais dans l'immeuble et je montais l'escalier qui conduisait à notre appartement. « Paul Varga n'est pas chez lui », me criait le concierge du bas de l'escalier. J'allongeais la main vers le bouton de la sonnette mais je ne sonnais pas. Je continuais ma montée par l'escalier de bois jusqu'au toit, jusqu'au réduit où nous avions pris l'habitude de dormir. Paul Varga était là, à l'intérieur, mais bien plus vieux que moi. Ses cheveux étaient noirs. Il me regardait sans répondre à mon sourire ; une expression soupçonneuse crispait son visage. Mes parents étaient assis, mais eux aussi ne semblaient pas me reconnaître. Leurs yeux étaient vides d'expression ; peut-être n'espéraient-ils plus désormais me revoir après toutes ces années. Je voulais entendre leurs voix, mais ils restaient immobiles et fermés, comme s'ils me reprochaient d'être parti, comme si c'était ma faute de les avoir abandonnés. Je me réveillais à nouveau, malade d'appréhension.

Nous vivions dans l'angoisse constante d'entendre des voitures militaires allemandes s'arrêter devant la maison. J'avais connu ce genre d'expérience, et dans le silence, coupé seulement par le tic-tac de la pendule, je me souviens de m'être tenu à la fenêtre de la cuisine des heures durant pour faire le guet.

Nous possédions un poste de radio sur lequel Marie et Odette écoutaient Londres, mais pas de poste émetteur. Marie l'avait interdit. Les voitures de repérage tournaient en permanence dans la région, je les apercevais sur le chemin de l'école. Elles roulaient lentement, s'arrêtant de temps à autre pour tenter de localiser une émission. Ce n'était pas toujours des voitures de l'armée allemande : ils avaient appris la leçon et utilisaient des camionnettes de bouchers, de volaillers, de la poste ; une fois, une voiture de la Croix-Rouge avait tourné toute une matinée dans les rues du village.

Amancine, que ses sœurs tenaient soigneusement à l'écart de leurs activités, continuait d'accomplir sa tâche de la même façon : la maison était propre, frottée, immaculée ; les rideaux étaient lavés, les carreaux nettoyés, et la cuisinière ronflait. Amancine savait que la mort tournait autour de nous et, lorsqu'elle arriva, elle l'accepta comme une vérité de la Bible.

Lucie vivait retirée sur elle-même. Elle manquait l'école qui devenait un calvaire. Dans la cour dépiautée, grise d'ennui et de froid, nous n'étions plus qu'une poignée d'élèves au visage amaigri. L'instituteur reportait sur nous la haine qui résultait du dégoût de sa propre vie, de son désespoir à être incompris. On le voyait rarement, et quand il passait à la maison, Marie l'ignorait. Peut-être l'avait-elle repoussé trop loin et n'arrivait-il pas à se consoler du sacrifice d'un amour rejeté.

Lucie, elle, s'en allait au vent et à la pluie, emportant son fardeau de douleur et de colère. Personne n'avait le temps de s'attarder sur sa désolation, de lui témoigner de la compassion ; je crois d'ailleurs qu'elle n'en aurait pas voulu. Elle avait bâti autour d'elle un mur pour se défendre, et je ne l'ai jamais vue ni pleurer sur son sort ni essayer de capter l'attention et l'affection de qui que ce soit. On la considérait plutôt comme une fille insensible, dure, et même cruelle.

Certains jours, quand il m'arrivait de tourner autour des allées de peupliers avec mon lance-pierres, je l'apercevais. Elle se déplaçait comme si elle cherchait à ne pas se faire remarquer. Elle n'adressait la parole à personne, ne semblait voir personne, et les gens qu'elle croisait continuaient leur chemin sans tourner la tête. Pour la plupart des passants, elle glissait, pareille à un être invisible.

Elle semblait attirée par une maison, de l'autre côté de l'église. Elle se cachait dans l'herbe haute d'un verger, humant le vent glacé. Je n'aurais pas pu dire au juste pourquoi elle attendait, sinon qu'elle voulait tout savoir des gens qui entraient et sortaient. Au fond je n'étais pas très intéressé ; je savais qui vivait là et, immergé dans ma propre indifférence, j'oubliais Lucie et sa curiosité.

Mon détachement favorisa-t-il ce qui arriva par la suite ? Je n'en sais rien. Le recul des années, en élargissant ma perspective, m'a par moments fait voir les choses différemment.

La guerre, qui au début avait touché les autres, ne nous épargna pas. Jérôme, le neveu du maire, fut arrêté un mardi à l'aube. J'appris la nouvelle en rentrant à midi de l'école. Il se trouvait avec son poste émetteur dans une ferme abandonnée quand les S.S. avaient débarqué ; ils étaient venus à pied par un chemin de traverse et le guetteur qui regardait du côté de la piste n'avait eu que le temps de s'enfuir avec le plan d'émission.

Les S.S. fusillèrent Jérôme le soir même au cas où la Résistance aurait cherché par un coup de force à le libérer. Comme Jérôme changeait de position chaque nuit et que le guetteur n'avait vu aucun véhicule de repérage aux alentours de la ferme, Odette et Marie en conclurent qu'il avait été dénoncé. Les Allemands savaient pertinemment ce qu'ils allaient trouver.

Elles suspectèrent tout le monde et en premier son oncle, Marcel Grau. Le maire, que des affaires assez importantes mettaient en contact avec le commandement S.S., avait été arrêté puis relâché aussitôt. Deux semaines plus tard, l'Obersturmbannführer Otto Wölk le fit de nouveau arrêter, et cette fois, le maire, par peur d'être torturé et de livrer les gens qu'il connaissait, se suicida.

Pour moi, ce fut une sorte de choc et je compris que, si à l'heure de l'apéritif – avancée en raison du couvre-feu – la salle du café demeurait remplie de silhouettes familières, hors de la zone de clarté les cartes étaient brouillées. Je n'avais jamais imaginé que Marcel Grau pût faire partie de la Résistance et avoir ce type de courage. Au village, où l'on prétendait connaître les faiblesses et les laideurs de chacun, il passait pour un homme capable de menacer, de corrompre, d'acheter plus de terres qu'il ne pouvait en cultiver ; un homme qui dissimulait ses vrais mobiles sous les traits d'une vertu officielle.

La fiole de poison que le facteur avait exhibée devant moi me revint immédiatement en mémoire. « Tu penses que je ferais mieux de choisir l'autre solution, comme ces résistants qui croquent du cyanure parce qu'ils craignent de parler sous la torture », m'avait-il dit le jour de la mort du laitier.

Je trouvais qu'il s'était confié beaucoup trop facilement et, ce qu'il avait fait avec moi, il pouvait le refaire avec d'autres. L'obsession de la trahison me gagnait ; j'étais terrifié à l'idée qu'Odette et Marie subissent le sort des autres et, pour la première fois depuis l'aveu de ma véritable identité au docteur, je décidai de sortir de ma passivité et d'en apprendre le plus possible sur le facteur.

Je connaissais son itinéraire par cœur, il allait toujours aux mêmes endroits. Un matin, au lieu de suivre son chemin comme d'habitude, je le vis faire un détour et entrer dans un jardin en mauvais état. J'attendis un moment, et ne le voyant pas ressortir je poussai à mon tour la porte branlante. Il était caché derrière un arbre. Il se démasqua et me demanda froidement :

– Qu'est-ce que tu veux ?

Je me figeai sur place. Le temps semblait arrêté. La vie je menais, mon souci permanent de n'éveiller aucun soupçon m'avaient appris à discipliner mes émotions pour ne pas perdre mon calme. Je me mis à observer une foule de choses qui n'avaient rien à voir avec le motif de ma présence :

les feuilles que le vent agitait, les treilles abandonnées qui couvraient un pan de mur. J'écoutais le
chant d'un oiseau qui s'époumonait en sifflements
aigus. Nous restâmes l'un en face de l'autre, silencieux, puis il me dit :

– Ce n'est pas la première fois que tu me suis.
Qu'est-ce que tu veux ?

Je baissai la tête.

– Rien, dis-je.

– Qui t'as demandé de me suivre ?

– Personne.

– Tu as peur de me le dire, c'est ça ?

J'entendis ma propre phrase avec stupéfaction.
Je la prononçai avant même d'avoir songé à la retenir.

– Je veux savoir si vous avez dénoncé le laitier,
Jérôme et le maire.

Je le vis bondir comme si je l'avais brûlé.

– Qui t'as mis ça dans la tête ? cria-t-il.

Je haussai les épaules.

– Je sais, fit-il. Ce sont les sœurs !

Il me regardait attentivement, une expression
hostile sur le visage, mais je compris qu'il était sur
la défensive.

– Non, répondis-je, c'est le flacon de poison.

Il semblait surpris.

– Celui que vous m'avez montré dans la cuisine
le jour où le laitier a été fusillé, précisai-je.

Un changement s'opéra en lui. Il dit soudain :

– Viens avec moi.

Il fit demi-tour, monta les marches, sortit une clé de la poche de sa vareuse et ouvrit la porte d'entrée. C'était là qu'il habitait. Voyant que je ne bougeais pas, il se tourna vers moi et demanda :

– Tu as peur ?

J'hésitais ; personne ne savait où j'étais.

– Non, je n'ai pas peur.

Je jetai un coup d'œil rapide derrière moi et je compris au regard qu'il me lançait qu'il avait mal interprété mon geste.

– Lucie m'attend, ajoutai-je d'un ton sans réplique.

– Voilà que je me mets à être suivi par des gosses ! grommela-t-il.

J'entrai derrière lui dans une pièce qui ressemblait à une boîte. Les persiennes des deux fenêtres étaient fermées, les murs étaient gris sombre, un tapis gris couvrait le sol. Les seuls meubles de la pièce étaient un fauteuil aux accoudoirs élimés, un vieux buffet, une table en bois et une lampe à pied couverte d'un abat-jour à franges. Le facteur tira sur la chaînette de l'interrupteur. « Ferme la porte », me dit-il.

La lampe projetait un cercle sur la table et ne diffusait qu'une clarté maigre dans la pièce. Le facteur enleva sa casquette, la jeta sur la table et souffla dans ses doigts avant de s'approcher du poêle. Il posa une main sur le tuyau, la retira, puis balança par la trappe une pelletée de charbon.

– Tu te crois intelligent, me dit-il. Tu m'observes comme les autres, mais c'est moi qui vous connais, et si je voulais je pourrais tous vous...

Un drôle de rire le secoua, comme s'il laissait sortir une sorte de douleur au creux de sa poitrine.

– Ne prends pas cet air, murmura-t-il, je sais que tu comprends ce que je veux dire, je le lis dans tes yeux. Toi et moi avons une sorte de pacte ; nous savons nous taire. Ce que je veux dire, c'est que toi tu ne trahis pas tes secrets, et moi de mon côté...

Il se dirigea vers le buffet et prit dans un tiroir une lettre cachetée qu'il agita devant mes yeux. Il se pencha vers moi. Son regard était vif.

– C'est ta dernière, me dit-il. Elle est revenue comme les autres avec la mention « adresse inconnue ». Je n'ai jamais rien dit à personne, j'ai détruit les autres et celle-là je vais la détruire devant toi. Voilà le genre d'homme que je suis.

Il ouvrit la trappe du poêle et jeta la lettre. Elle s'enflamma plus vite qu'une paille sèche. Je la regardai brûler. Dans les flammes orange qui commençaient à monter, ce fut comme un buisson qui noircissait lentement. Le facteur alla ensuite s'asseoir dans le fauteuil et prit sa tête dans ses mains. Il avait vraiment l'air fatigué mais je ne pouvais lui être d'aucun secours. Pour ne pas être obligé de le regarder, pour ne plus le voir ainsi la tête entre ses mains, effondré, j'ouvris la porte.

– Attends, me dit-il. C'est demain l'anniversaire de son départ. Ça fera six ans qu'elle est partie. Je ne sais pas pourquoi je persiste à garder le silence. Peut-être que je l'aime trop. Elle a tout fait pour m'enfoncer mais j'ai trop peur de la perdre. Il n'y a qu'elle qui m'attache encore à la vie.

Sa voix tremblait et je crus qu'il allait se mettre à pleurer.

– Ah ! reprit-il. Tu te demandes pourquoi je me tais alors qu'elle m'a fait tout ce mal ? Ce sont les mystères de l'âme. Je suis devenu quelqu'un de peu d'importance, une silhouette silencieuse. C'est elle qui a choisi pour moi ce costume élégant et plein de caractère ; je joue un rôle dans cet uniforme humiliant et ridicule, mais pas celui que tu crois. Je ne suis pas un facteur, je suis un persécuté qui jette une ombre lugubre sur ceux qui l'entourent ; y compris sur elle ! De cette manière, c'est moi qui deviens le centre d'attraction. Tu n'es pas d'accord ? Tu crois qu'elle est incapable de remords ?

Il s'était tu. Dans la pièce grise, le silence n'était troublé que par le ronflement du poêle et sa respiration haletante. Je restais immobile, les poings fermés.

Il m'étudiait, attendant peut-être une réponse.

– Je m'en vais, dis-je.

– Qu'est-ce que tu as dit ?

– Je pars. Lucie m'attend.

– Tu vas continuer à me suivre ?

– Non, dis-je. C'est pas vous.

– Comment le sais-tu ? demanda-t-il avec un petit rire.

– Je sais, c'est tout.

Il hocha la tête.

– Je vois qu'on ne t'a pas bourré le crâne. Les autres, crois-moi, sont pires que les Boches ; c'est juste un tas de cochons qui pourriront dans leur saleté. Tu ferais mieux de t'en aller maintenant, tu as l'air bien avancé pour ton âge mais pas suffisamment pour tout comprendre.

Sur le moment, les confidences sur sa femme et ce qu'il endurait ne me troublèrent pas. Je n'étais pas inquiet ; je savais qu'il avait détruit mes lettres sans les ouvrir, et pour moi cela suffisait. Pour le reste, le facteur avait raison : j'étais trop jeune. Toutefois, après avoir reçu le journal de Lucie, le souvenir de ce qu'il m'avait raconté resurgit.

Après l'exécution de Jérôme et le suicide du maire, les voyages à Saumur cessèrent, et Odette se mit à passer la plupart de ses nuits à l'extérieur. Elle avait su se montrer efficace, mais sa haine des Allemands et son désir de localiser le dépôt de munitions étaient si forts qu'elle en oublia pour elle-même les règles les plus élémentaires de sécurité.

La mercerie lui servait toujours de devanture, et quand il m'arrivait de passer la voir elle était presque toujours en discussion avec des « clients » ; mais les affaires marchaient mal, et elles fournirent à Odette le prétexte de ne plus ouvrir que deux ou trois heures par jour. Le temps pressait. Nous affections de conserver une routine, mais la prudence absolue était impossible. Odette aurait aimé être partout à la fois pour ne pas mettre en péril ceux qui restaient en liberté, ne pas les envoyer à la mort, mais il lui était impossible de changer d'aspect et de personnage : elle boitait, sa démarche ne trompait personne, et les déguisements lui étaient interdits.

Elle disparaissait en général au milieu de l'après-midi pour resurgir au matin, les chaussures couvertes de boue et de poussière, sa vieille jupe noire déchirée par les buissons d'épineux au travers desquels elle avait dû se frayer un passage. Elle s'asseyait dans la cuisine, ôtait son bonnet, et s'essuyait le front avec sa manche. Ses cheveux, à présent tout gris, étaient complètement mouillés comme si elle venait de les plonger dans une cuvette.

Odette partait sans jamais nous dire au revoir, sans jamais nous embrasser, et je suis sûr que Marie ignorait où et avec qui sa sœur passait ses nuits. Dans l'église, où un jour lugubre se reflétait derrière quelques portions de vitrail, je priais pour Odette, espérant que du ciel descendrait quelque résolution subite, sans prêter l'oreille au curé qui nous disait parfois que prendre les armes était un péché pour l'Église ; Jésus avait appris aux chrétiens à se soumettre à la domination des hommes, et lui-même ne s'était pas révolté et n'avait poussé personne à la révolte contre les Romains qui eux aussi étaient des étrangers sur sa terre.

Odette épuisait ses chances de vie, et un jour elle ne rentra pas. J'ai retrouvé des années plus tard dans un journal clandestin de l'époque le récit d'un maquisard présent la nuit où elle fut tuée. Jusque-là, au travers du souvenir des rumeurs contradictoires, je m'étais contenté d'imaginer les circonstances de sa mort, ne gardant de cette soirée que la mémoire d'un mauvais orage, des collines engluées dans la boue, des nuages plaqués sur la terre, de l'âpreté glaciale du vent, et de l'odeur de feuilles en décomposition et de racines pourries qui montait du sol.

Cette nuit-là, racontait ce partisan, ils avaient escaladé tant bien que mal l'autre côté d'une tranchée remplie d'eau. Une clairière les séparait de la forêt et, tête dans les épaules, ils avaient franchi à toute vitesse les deux cents mètres de terrain à découvert, sautant par-dessus les bosses et les creux. Odette était la dernière ; ils avaient dû l'attendre, et à plus d'une reprise les hommes l'avaient vue trébucher et s'étaler de tout son long. Un tronçon suspect de voie ferrée avait été repéré par un charbonnier à un endroit dénommé les Trois Corneilles, et Odette avait reçu l'ordre de ses chefs de vérifier l'information.

Après avoir attendu des heures sous la pluie que les autres groupes aient accroché les Allemands qui patrouillaient dans le secteur, Odette et son groupe de six hommes s'étaient enfoncés dans la forêt en direction des Trois Corneilles. Parfois, ils devaient contourner d'impénétrables fourrés d'épineux et des massifs de bruyère et leur avance se ralentissait. Tout le monde était trempé jusqu'aux os. À un moment, le partisan s'en souvenait, Odette avait ordonné une halte et ils avaient obéi. Ils entendaient le bruit des mitrailleuses allemandes qui tiraient en courtes rafales, et l'explosion sourde des grenades que balançaient les résistants ; la fusillade continuait avec la même intensité mais ils ne voyaient rien de ce qui se passait. D'autres groupes avaient engagé les Boches pour faire diversion. Ils étaient repartis, obliquant sur leur gauche pour suivre un vague sentier. Ça facilitait leur progression, celle d'Odette surtout. Bientôt les arbres s'étaient espacés, et celui qui marchait en éclaireur, le charbonnier qui avait découvert la voie ferrée, avait fait passer le mot : le chemin allait déboucher sur un vaste champ, et à trois cents mètres, au milieu des fourrés il y avait ce fameux tronçon protégé par deux remblais couverts d'arbustes et de buissons. D'après lui, les rails disparaissaient plus loin dans l'entrée d'une vieille galerie souterraine. Tout semblait calme devant eux. La diversion avait réussi. Brusquement, ils n'étaient pas encore sortis sur la ligne du bois quand, partout, d'un seul coup, des éclairs avaient illuminé les arbres et des obus de mortier avaient éclaté tout autour. Une fusée éclairante avait été lancée, et l'air s'était rempli de traînées lumineuses et du crépitement des fusils-mitrailleurs. Les Allemands les attendaient : on les avait vendus. Le partisan avait senti une brûlure au cou et il avait compris qu'il était touché. Il avait trébuché, une main pressée sur sa blessure pour contenir le sang, mais ce n'était pas une blessure grave ; la balle ou l'éclat d'obus avait tracé un sillon dans sa chair sans toucher la carotide. À part lui, personne n'était touché. Accroupis derrière des troncs d'arbres et des rochers, ils entendaient au-dessus d'eux la course effrénée des S.S. qui cherchaient à les prendre à revers, et Odette avait fait signe de ne pas riposter pour ne pas révéler leur position. Pliés en deux, ils avaient suivi le charbonnier. Il connaissait le coin comme sa poche, et une centaine de mètres plus bas, un grand fossé leur permettrait de s'enfuir. Ils avaient dévalé la colline et s'étaient laissés glisser sur la pente pleine de souches boueuses et gluantes. Odette, elle, en arrivant, était retombée en arrière et ne s'était pas relevée. Elle avait la jambe brisée, et les fers qui maintenaient sa chaussure lui avaient déchiré les chairs jusqu'à la hanche. C'était une blessure horrible, et plus haut, les Allemands continuaient à hacher systématiquement les feuillages de leurs tirs, et alors que les résistants discutaient pour savoir comment ils allaient la transporter, Odette s'était tiré une balle dans la bouche avec son pistolet. Elle avait eu trop peur d'être prise, torturée et de parler. Ils avaient recouvert son corps de feuilles et s'étaient enfuis. Deux jours après, trois d'entre eux étaient revenus. Les Allemands n'avaient pas découvert le corps et ils avaient préféré l'enterrer sur place pour ne pas attirer l'attention. Après la Libération, la dépouille d'Odette avait été exhumée et transportée au cimetière du village.

Pour moi, la fin de la guerre ne signifiait qu'une chose : mon retour à Paris. Je me forçais à penser à ce qui se passerait quand je reverrais mes parents. Peut-être étaient-ils malades ; peut-être avaient-ils disparu. Je refusais d'entrer dans les détails, de supputer les chances qu'avait ma vie de reprendre un cours normal.

XX

L'AUTOCAR APPARAÎT AU TOURNANT ; une vieille
dame et une fillette en descendent. La fillette,
qui porte un fichu rouge noué dans les cheveux, se
retourne et me sourit.

Le souvenir d'une certaine journée me revient.
J'ignore pourquoi ou comment. J'ai très chaud.
J'entre dans le café pour me rafraîchir. Dans les petites toilettes, à plusieurs reprises, je me passe de
l'eau sur le visage. En revenant dans la salle, Hélène
me demande si je veux une assiette de charcuterie
avec des tranches de pain grillé. Elle porte une robe
bleue qui lui laisse les épaules nues. Sa peau est bru-
nie, et j'imagine son corps nu, ferme et lisse, comme
celui d'une très jeune fille ou d'une statue. Elle re-
pousse ses mèches bouclées derrière ses oreilles,
croise mon regard, un éclat bizarre dans les yeux, un
sourire presque intime sur les lèvres. Je voudrais être
amical et drôle, Hélène me plaît et je sais que quelque
chose s'est déclenché entre nous, mais le souvenir

qui m'obsède me paraît d'une pesanteur écrasante, alors je lui demande simplement de remplir mon verre de vin et je retourne m'asseoir à la terrasse.

Je me rends compte que l'imprégnation dans ma mémoire de cette journée n'a jamais été aussi forte. Des journées comme ça il y en avait eu d'autres, mais celle-là était en quelque sorte une conclusion logique, un dénouement aussi effroyable que les actes qui l'avaient précédée.

C'était un après-midi d'octobre, le 18 pour être précis, et la débâcle allemande s'annonçait, inévitable. Les S.S. étaient partis comme ils étaient venus, la pluie ruisselait sur les toits, effaçant la réalité des choses.

Un peu plus tôt, une colonne de chars avait traversé le village à vive allure ; le grincement lourd des chenilles, le bruit des moteurs lancés à fond avaient fait trembler les murs, avant de s'éloigner dans la grisaille environnée de mort.

Le village semblait vide de toute présence humaine. Courbé en deux, une main sur ma capuche, je m'étais engagé sur la place.

L'eau coulait en ruisseaux le long des façades ; j'éprouvais une sorte d'exaltation amère et morose. J'étais incomparablement bien plus malheureux qu'aux premiers jours de mon arrivée.

La guerre, nous le savions, se déplaçait vers l'est, vers l'Allemagne ; à Paris, je l'espérais, ma famille

m'attendait, mais nous avions payé si cher ces moments, nous avions été en si grand danger, que
j'avais l'impression que ceux d'entre nous qui
avaient survécu n'étaient pas mieux lotis qu'une
poignée de naufragés rejetés par la tempête sur
une côte désolée.

Je m'arrêtai quelques secondes, indécis quant à
la direction à prendre, quand mû par une impulsion je me mis à suivre la petite rue que Joseph
avait empruntée deux ans auparavant.

Je marchais les yeux fixés au sol, mes pensées
brouillées par les rafales de pluie et les souvenirs.

Mon père s'était-il décidé à revenir ? M'attendait-
il à l'endroit où nous nous étions réfugiés ? Non,
bien sûr ; pourtant, cette fois j'étais prêt à le suivre,
à mourir de faim avec ma mère et lui ; rester me
semblait une trahison infâme, et Daniel n'était plus
qu'un masque que je portais en présence des autres.

Il existait différents chemins possibles dans l'existence. Choisissait-on toujours celui qu'on voulait ?
Je ne me posais plus la question.

Je m'arrêtai devant la maison de la mère Mathilde.
La pluie avait cessé. M'abritant sous une voûte de
pierre, j'égouttai ma capuche et la fourrai dans la
poche de mon imperméable. Je desserrai mon
cache-col et traversai rapidement la courette.

Le portail de la grange était fermé. Je m'apprêtais à soulever le loquet de la serrure quand un
pressentiment aigu m'en empêcha. Collant un œil

entre deux planches disjointes, je crus discerner dans la pénombre un frôlement furtif, un glissement derrière les balles de paille. Quelqu'un se dissimulait à l'intérieur.

Joseph était-il revenu ? J'écoutai, pétrifié. Mon cœur battait si fort que j'avais l'impression d'avoir couru à en perdre le souffle. Sous le coup de l'émotion je frappai trois petits coups, puis un autre, plus espacé ; une sorte d'appel en morse comme on en entendait tous les jours à la radio. Le temps passa. Une minute, une autre encore, personne ne répondit. Je me mis alors à siffler les premières notes de *Jonquille*. N'ayant obtenu aucune réponse, j'en concluai que ce ne pouvait être mon père. Sans trop élever la voix, je demandai : « Il y a quelqu'un ? »

Mes paroles résonnèrent dans le silence. J'écoutais longuement, attentivement. Il y a quelques mois je me serais sauvé au plus vite, mais les difficultés, les monstruosités que nous avions endurées ces derniers mois avaient épuisé mes réserves de peur et de prudence.

Je regardai de nouveau par la fente. Cette fois, je ne vis rien de suspect. Tout était immobile. Me demandant si c'était vraiment ce qu'il fallait faire, je soulevai le loquet et poussai l'un des battants. Il s'ouvrit doucement, bêtement. Je demeurai immobile. Peut-être y avait-il quelque chose qui me sautait aux yeux et que je ne remarquais pas. Je connaissais l'endroit dans ses moindres détails mais je n'y voyais pas très clair, à cause de la pénombre. L'envie me prit de tout abandonner, d'en rester là. C'était trop tard. Je poussai le second battant pour laisser entrer plus de lumière. Il s'ouvrit avec un grincement.

La grange était vide mais un spectacle abominable me fit reculer. De la soupente, du sang coulait goutte à goutte. Il y en avait partout, jusque sur les balles de paille. Au sol, une flaque s'élargissait.

J'éprouvais une sensation bizarre, pareille à celle qu'on ressent après un songe prémonitoire. J'avais soupçonné, sans savoir pourquoi, qu'il se passait quelque chose ici même, dans cette grange, et inconsciemment j'étais venu voir, incapable de diriger ailleurs mes pas.

Au lieu de m'enfuir, j'inspectai les lieux pour vérifier si aucune présence ne se révélait. Derrière moi, au-delà de la courette, la maison de la mère Mathilde paraissait endormie. Nul ombre ne se profilait derrière les rideaux. J'aperçus, de l'autre côté d'une clôture, un hangar de pierre contre lequel étaient rangés divers matériaux et des fagots de bois mort. Un filet d'eau s'échappait d'une gouttière. Tout paraissait désert, abandonné, sauf deux corbeaux qui piétinaient, les pattes recouvertes d'un enduit blanchâtre près d'une brouette à moitié pourrie.

L'idée me vint que le sang provenait sûrement d'un officier S.S. que les résistants avaient tué. Ils avaient dissimulé le corps dans la soupente, espérant qu'on le découvrirait le plus tard possible. J'hésitais, prêt à repartir, quand soudain, sans plus penser à rien, je fis exactement l'inverse : je pénétrai dans la grange et refermai le portail derrière moi.

J'attendis, laissant mes yeux s'habituer à l'obscurité. Peu à peu, la lumière qui provenait d'une lucarne dans le toit se mit à rayonner autour de moi. Sur la pointe des pieds, j'évitai la flaque et m'approchai des balles pour regarder derrière. L'espace où Joseph et moi nous nous étions tenus était vide. La paille était poisseuse, souillée de sang. Je m'écartai. Au fond, une échelle était posée contre le plancher de la soupente. Je voulais quitter les lieux et prévenir Amancine, mais tout se passa autrement. Je me dirigeai vers l'échelle. Machinalement, je bloquai ma respiration pour mieux écouter. L'Allemand, après tout, n'était peut-être pas tout à fait mort. J'imaginais que, pareil à une bête blessée, il attendait que l'ennemi se montre pour réagir.

Je n'entendais rien, pas le moindre râle, pas le plus petit souffle, seul mon cœur, qui battait dans ma gorge et mes tympans. Je levai la tête. La soupente formait un trou d'allure sinistre ; le sang venait de là.

L'échelle était vieille, les barreaux en mauvais état. Il me sembla voir des marques, des taches, mais je n'étais pas certain que ce fût du sang. Peut-être était-ce simplement de la boue.

J'étais épuisé ; l'air humide me glaçait ; mon tricot et ma chemise étaient trempés de sueur, et à cet instant si quelqu'un m'avait tapé sur l'épaule je crois que je me serais évanoui. Je resserrai mon écharpe et posai mes mains sur les montants, serrant le bois de toutes mes forces.

Je montais avec une lenteur d'escargot, m'efforçant de faire le moins de bruit possible.

Je vis le corps au premier coup d'œil. Il formait un tas inerte sur le plancher de la soupente ; une ombre pitoyable dans la lumière grise qui filtrait. Malgré les contours qui se dissolvaient, je reconnus la silhouette, ce n'était pas celle d'un officier allemand. J'avais le souffle coupé ; la tête me tournait ; mon cœur avait glissé hors de ma poitrine. Une fois de plus la guerre surgissait en des lieux où on ne l'attendait pas. Je m'approchai du cadavre de Lucie et me penchai sur son visage. Ce matin, l'air aussi renfrogné que d'habitude, elle était sortie, une écharpe rouge nouée en fichu. Je ne comprenais pas ; j'étais incapable de réaliser que je ne la verrais plus nulle part, elle qui nous donnait l'impression de se trouver à plusieurs endroits à la fois. Quand nous n'arrivions plus à nous rappeler qui l'avait vue en dernier, elle surgissait, silencieuse, presque invisible. Nous avions vécu toutes sortes de choses elle et moi, partagé les mêmes heures d'attente, souffert les mêmes angoisses, pleuré les mêmes morts.

Je restais à regarder ce corps étendu, sans mouvement. Qui l'avait tuée ? Je me penchai davantage. Ses traits étaient crispés dans une dernière convulsion, et elle avait une blessure sur le côté droit de son crâne, un énorme trou, avec une enflure. Le sang s'échappait ; lourd, presque noir, il formait une rigole qui disparaissait entre les planches. Il y avait tant de désespoir, de supplication dans ce visage, que je compris qu'il ne me serait plus possible de voir le monde avec mes yeux d'autrefois. Je détournai mon regard et éclatai en sanglots.

Je restai très longtemps dans la soupente, incapable d'abandonner Lucie. La pluie avait repris. Je l'entendais claquer sur les tuiles. Amancine devait s'inquiéter ; il n'y avait rien d'autre à faire que de repartir, et la respiration blême de froid je quittai les lieux. Je ne savais rien, ni pourquoi, ni comment, ni dans quelle intention on l'avait tuée.

Je me souviens de ma peur en quittant la grange. J'avais fait un détour avant de regagner la maison, revenant sur mes pas pour voir si l'on m'avait suivi. Tout s'était passé sans encombre ; je n'avais rencontré personne, pas âme qui vive.

Ce vide avait quelque chose de surnaturel, d'extraordinaire, et d'un coup j'en avais deviné la signification : le village savait, mais il avait préféré fermer les yeux !

C'était ça ! Les gens se terraient !

Ce n'était le fait ni du hasard ni de la pluie ; non, liés comme les maillons d'une chaîne, ils étaient solidaires dans le même silence coupable. Ce moment s'est enraciné dans ma mémoire comme une graine empoisonnée.

Je n'ai jamais cru à l'explication de cette mort, encore moins à sa justification « officielle ». Je connaissais Lucie, et j'étais bien placé pour comprendre ce que j'avais vu et entendu. Aussi est-ce délibérément que j'ai pris son parti, celui du bouc émissaire, du témoin indésirable exécuté pour de mauvaises raisons.

Le *Journal des misères* rapporte moins de choses que Lucie n'en a pu voir. Au fil des mois, les entrées perdent en précision ; les dates ne figurent plus. Ainsi, un paragraphe est consacré à ma maladie ; Lucie y raconte son inquiétude devant les assauts de la fièvre et sa joie de me voir rétabli.

Au paragraphe suivant elle écrit :

Daniel a tué son premier oiseau avec le lance-pierres que je lui ai donné. Depuis sa maladie il devient comme moi, il préfère écouter et se taire.

Un automne et un hiver distancent ces deux événements.

En commençant la lecture de ce journal, j'avais le sentiment que la fin m'apporterait la solution. Aujourd'hui, je sais qu'il n'en est rien, du moins en partie. Les drames se chevauchent sans chronologie, dispersés comme si la réalité s'embrouillait, se mélangeait aux souvenirs.

Plusieurs mois se sont écoulés entre les bombardements et le départ des S.S., mais Lucie les a inscrits comme si quelques jours seulement les séparaient.

Les Anglais bombardent toutes les nuits. On entend les avions au-dessus du village ; ils volent bas pour repérer les signaux que les résistants ont mis pour éviter qu'on soit touché. Le bruit est terrible ; on dirait que la nuit éclate. Ça résonne contre les murs.

Les S.S. ont quitté le village aujourd'hui. Leurs uniformes sont sales, leurs bottes pleines de boue ; ils se rasent plus. Ils fuient à l'est, avec le canon des fusils vers les toits et les fourrés.

Quand ils nous ont réunis sur la place, j'ai cru qu'ils allaient nous fusiller. J'ai pas eu peur. Je me suis dit que c'était mieux comme ça. Ils nous ont tenus en joue trois heures ; à la fin un officier est arrivé et il a donné l'ordre de prendre des otages ; c'est tout ce qui reste à prendre dans le village. Ils les ont mis bien en vue pour que la Résistance tire pas sur les camions.

Je suis plus retournée au cimetière depuis le jour où Daniel et moi on est allé porter des fleurs sur les tombes du vieil Henri et de Marie. Daniel a pleuré mais pas moi ; je suis trop dure pour ça. À quoi ça servirait ; il est trop tard pour dire aux autres ce

qu'il y avait dans mon cœur. Odette, on l'a plus re-
vue ; on dit qu'elle est morte, mais des fois j'essaye
de pas y croire.

Peu après la disparition d'Odette, les bombar-
diers anglais pilonnèrent les collines et touchèrent
les dépôts de munitions. Nous crûmes que les Allemands, réduits en miettes, allaient fuir le village
et sa région. Une semaine plus tard, une vingtaine
de résistants trouvèrent la mort sous le feu des mitrailleuses allemandes ; leurs corps furent alignés
sur le bas-côté de la route et exposés comme le gi-
bier d'une partie de chasse.

C'était un temps où je n'essayais même plus de
reconnaître le réel parmi les choses qui entraient
dans ma tête ; les bouts d'espoir et de détresse se
télescopaient, et j'eus plus d'une fois la certitude
de ma propre mort. La conclusion que les Allemands,
à force de massacrer, saccager et tuer, finiraient un
jour par remonter jusqu'à moi me paraissait la seule
possible ; je n'avais rien à gagner en restant dans
ce village, rien, et tout à perdre. Je passais des heures
à ruminer des projets d'évasion et je crois même qu'à
une ou deux reprises l'envie de m'enfuir fut si forte
que je faillis avouer à Marie qui j'étais et ce que je
risquais si les S.S. me découvraient.

En dehors du petit cercle de la maison, il n'existait ni amitié ni confiance. La peur rendait les gens
fous, et ils étaient prêts à tout pour sauver leur

existence. Nous étions des condamnés à mort en sursis et Marie, qui depuis la disparition de sa sœur avait repris ses voyages à Saumur, fut coincée dans une rafle.

C'est Amancine qui partit pour ramener son corps. Marie avait cherché à s'enfuir avec d'autres ; c'était la fin de la guerre, la Résistance tuait beaucoup d'Allemands, et au lieu de les poursuivre les soldats avaient tiré. Marie était tombée.

Quant à Lucie, curieusement, elle semblait être la seule à trouver espoir comme en témoignent les dernières lignes de son journal.

Peut-être rêvait-elle de s'enfuir avec le mystérieux Louis, quelque part, bien loin, pour commencer une vie.

Je suis une sorte d'orpheline, et au village, à part Amancine, personne s'intéresse à moi. Les garçons qui restent sont sales et idiots ; les autres sont morts ou bien ils se cachent. Mes rendez-vous avec Louis ils étaient devenus trop courts mais avec le départ des Boches les choses vont être comme avant. J'ai attendu à cause de tout ce qui s'est passé mais maintenant j'en peux plus de faire des sacrifices ; je suis pas différente des autres. La dernière fois qu'on s'est vu c'était dans une grange, juste avant l'heure du déjeuner. Ça fera cinq semaines demain.

Y avait un orage ; j'écoutais les roulements du tonnerre et la pluie tapait sur le toit quand il est arrivé. Comme d'habitude il était pressé. Il a dit qu'il savait plus où donner de la tête ; il avait pas le temps de m'écouter ; il avait des horaires. Il m'a déshabillée, poussée sur la paille, et il s'est jeté sur moi. Ça a pas duré longtemps ; il était si nerveux qu'il m'a fait mal. Il m'a pas dit qu'il m'aimait, il s'est accusé d'être un mauvais type. C'est le mot qu'il a dit. Avant, j'avais droit à des serments : « J'aimerai jamais personne autant que toi. Tu me rends fou », qu'il disait. Je me souviens de chaque mot. Je lui ai écrit une lettre. On doit se rencontrer au plus vite sinon... Je sais pas ce que je suis capable de faire.

J'ai donné la lettre au facteur en lui disant que le jour du départ des Boches un otage me l'a donnée pour Louis. J'en ai assez d'embrasser mes lèvres dans le miroir ; j'en ai assez de voir Louis prendre ses grands airs avec l'autre. J'ai quelque chose d'important à lui dire, et après il saura qu'il peut plus entrer et sortir de ma vie juste quand ça lui plaît. J'ai les pieds glacés ; je sais pas si c'est le froid ou la peur parce que mes règles sont pas revenues. J'ai pas envie de dormir. Amancine ronfle, et chaque fois qu'elle bouge le matelas craque. La pendule vient de sonner. Le jour on fait pas attention, mais la nuit on l'entend partout dans la maison, et peut-être même dehors. Je suis assise sur le plancher ; le vide fait du bruit dans ma tête et je sais plus si je suis vivante ou morte.

J'ai gardé une plante que j'avais ramassée avec le docteur quand il pouvait encore faire sa cueillette.

C'est une plante rare dont j'ai oublié le nom, mais dans l'ancien temps on en faisait des infusions pour chasser le Diable de la tête des gens. Ici, le Diable il est partout et il vaut mieux tenir sa langue et tourner sa tête quand on le voit sourire et faire des clins d'œil alors que les autres ont du chagrin.

Si Louis a décidé de profiter de la nouvelle situation pour me traiter comme une fille du ruisseau, y se trompe. Moi aussi dans ce village maudit, j'ai des comptes à régler. Sur la Josette, j'aurais des choses à dire depuis qu'elle s'habille en noir. Bon, je veux pas trahir les secrets et toutes ces comédies, alors je fais comme les vieilles chouettes, je ferme mon bec ; mais faudrait être aveugle pour pas voir qu'il y en a qui vont la remercier la guerre. Y se cachent plus. Y laissent tout voir.

Je finis parce que je vais aller chercher un mot de Louis. Je me suis lavée et j'ai mis le foulard rouge que Marie m'a offert. Cette nuit j'ai fait un rêve ; y avait du blanc et du doré. Bon, j'arrête. Faut que je m'en aille. J'espère qu'en revenant les choses seront comme les couleurs dans le rêve...

Elle est morte ce jour-là. J'en suis sûr, à cause du foulard, le foulard rouge que Marie lui avait offert et qu'elle n'avait encore jamais porté. La Libération fit qu'on oublia ce meurtre dans l'allégresse générale. Il n'y eut jamais d'enquête.

XXI

– C'EST LA LECTURE qui vous rend si triste ? me demande Hélène. Vous faites une drôle de tête.

Elle est debout devant moi. Nos yeux se rencontrent encore.

– C'est la chaleur, dis-je en refermant le carnet.

– C'est vrai qu'il fait chaud, dit-elle en fixant le ciel.

Elle baisse le creux du décolleté de sa robe pour s'éventer avec un vieux chapeau de paille.

– Bon ! s'exclame-t-elle. Je crois que je vais rentrer.

– Vous avez terminé votre service ?

– Je ne travaille pas ici, répond-elle en souriant. Je donne un coup de main quand je m'ennuie. Le café appartient à mes parents.

Elle se baisse pour ramasser le chapeau qu'elle a laissé tomber.

– Et vous ? dit-elle. Vous repartez ce soir ?

– Non, pas ce soir. À vrai dire, je ne sais pas.

– On se revoit alors ?

C'est à mon tour de sourire. Elle observe ma réaction, les yeux à demi clos. Je sens son regard ; une coulée fiévreuse et fraîche qui chasse l'ombre démesurée de mes souvenirs.

– Oui, dis-je. Je viendrai demain vers midi, pour l'apéritif.

– Je serai là, affirme-t-elle, d'un ton gai.

Elle semble étonnée par ce qu'elle vient de dire.

– J'y compte bien. C'est pour vous que je reviens.

– On pourra faire une promenade et un pique-nique. Il y a un coin plein d'ombre près de la rivière. D'accord ?

Le soleil passe entre les branches, m'éblouit et fait des taches lumineuses qui tremblent sur la robe bleue d'Hélène. Elle ressemble au souvenir que j'ai de Lucie.

Rien autour n'a changé ; et pour moi, cependant, quelque chose est survenu de plus considérable que si le village entier eût disparu. C'est comme un étourdissement, pareil à celui que j'aurais ressenti en débarquant dans un pays nouveau.

– D'accord, dis-je, prenant la main qu'elle me tend.

Nos doigts se pressent avec une légère insistance et je me sens rougir. Elle s'éloigne, droite, la taille mince.

– À demain ! s'écrie-t-elle en se retournant.

– À demain donc !

Elle est déjà de l'autre côté de la place. Elle se retourne une dernière fois, me fait signe, puis disparaît comme une vision.

D'un coup, le but de mon voyage me paraît reculer dans un passé lointain. Ma rencontre avec Hélène m'éloigne de mes résolutions et dans mon cœur est entré un sentiment dont j'avais désespéré ; une extase inquiète que j'avais enviée à mes camarades amoureux.

Dans l'air tiède les effluves des soirs d'été à la campagne m'envahissent ; les roses, les œillets, les violettes, le chèvrefeuille ; l'odeur d'une jeune femme aussi. Les derniers rayons font miroiter les pierres grises ; une compagnie d'étourneaux tourbillonne dans le ciel autour du clocher, mais le reste du paysage a l'air immobile comme une peinture. L'existence que j'ai vécue jusque-là n'apparaît plus qu'au loin, perdue dans les ombres du soir qui descendent.

Afin de ressaisir quelque chose de cette soif de justice qui m'a conduit ici, je quitte le café et mes pas me guident comme il y a quinze ans vers une ruelle, celle où se trouve la grange de la mère Mathilde, là ou j'ai emmené Joseph, là où j'ai découvert le corps de Lucie.

J'évite la maison des trois sœurs ; Amancine est morte depuis des années, la maison a été vendue et des émotions contradictoires m'en tiennent éloigné.

Je passe devant la grange sans m'arrêter. Je refais le chemin que j'ai suivi autrefois. Je l'ai revu maintes fois ce chemin, mais à présent c'est une autre histoire ; à présent il me conduit vers un meurtrier.

Je reconnais de loin la maison dont la girouette se découpe en noir sur le crépuscule pâle. La maison est basse, couverte de tuiles brunes et bordée d'un gazon où s'espacent des tilleuls aux longues branches, et sur l'un des côtés s'étend le verger où, naïvement, les jours âpres d'hiver, Lucie se tient, immobile, au bord d'un abîme indéfinissable ; et au-delà il y a la terre rousse des vignobles, et les bosquets qui font saillie comme des rochers sombres.

Au bruit de la sonnette, il sort sur le perron. Il vient m'ouvrir, presque familièrement, comme à une connaissance, mais je sais qu'il ne m'a pas reconnu.

Il est sans chapeau et porte un gilet en daim couleur tabac. Sur sa chemise bleu pâle, à filets blancs un peu fanés, une cravate en tricot met l'ombre d'un bleu plus foncé. Un pantalon de toile blanche casse sur ses chaussures de cuir fauve bien cirées. Son visage a perdu cette sorte d'expression dolente qui autrefois le rendait intéressant ; une certaine mollesse a saisi ses traits, une sorte d'abandon, et il me regarde fixement, l'air curieux, se demandant ce que je peux bien lui vouloir.

– Vous ne vous souvenez pas de moi ? dis-je d'un air calme.

– Je devrais ? répond-il, avec un sourire singulier et ambigu.

– Daniel Descamps, ça ne vous rappelle rien ?

– Ma foi, non, dit-il, après s'être gratté la joue.

– J'habitais chez les sœurs durant la guerre.

Il parut se réveiller et eut un mouvement de recul.

– Mon Dieu ! Le petit Daniel ! C'est bien toi ?

J'acquiesce. Il s'approche et me serre dans ses bras. Je sens le parfum de la brillantine qui lustre ses cheveux. C'est la même odeur de lavande qu'autrefois ; une lotion qu'on ne trouve qu'à Londres nous dit-il, et, durant un instant, je fermai les yeux et je le revis, autour de la table, entre Odette et Marie, nous parlant avec enthousiasme de ses extraordinaires voyages.

– Entre ! Entre ! dit-il. Mon Dieu ! Daniel ! Je n'en reviens pas ! Après toutes ces années !

Il me prend par le coude et m'entraîne à l'intérieur. Dans la salle à manger, la table est mise, avec deux couverts. Le parquet, les meubles, l'argenterie, tout reluit d'une propreté méticuleuse, à l'anglaise ; un grand poêle de céramique blanche, le fronton orné de céramique bleue, occupe un des coins de la pièce, et j'aperçois près du buffet une madone de bois sculpté.

Nous sortons dans la partie du jardin protégée des regards de la rue. Sous la tonnelle, je vois une silhouette vêtue de noir.

– Vous allez avoir une surprise, mon père, dit mon hôte. Daniel, le petit Daniel, celui qui chantait si bien dans votre chorale, nous fait une visite.

Le curé me frappe par sa vieillesse et son insignifiance. Il ne ressemble plus à un veau ; il est frêle et son corps desséché, ligneux paraît prêt à s'envoler comme une feuille d'automne au premier coup de vent. Il semble le survivant d'une génération disparue, n'attendant plus rien ici-bas. Une grosse canne est posée contre l'accoudoir de sa chaise ; sa soutane est luisante sous les coudes, effilochée aux manches, et sur sa poitrine le tissu élimé s'écarte là où manquent des boutons. Une écharpe de laine grise est pliée sur ses genoux.

– Te voilà revenu, me dit-il. Tu es un homme à présent.

Je serre les deux mains qu'il me tend et je vois dans ses yeux des larmes de joie. J'en suis touché et gêné, et je me prends d'un coup à éprouver pour lui de la tendresse. J'ignorais qu'il gardait de moi un souvenir si ému.

– Tu as des projets pour la soirée ? me demande Maurice, en passant un bras autour de mes épaules.

Je fais non de la tête.

– Alors, tu dînes avec nous et tu dors à la maison. Ce ne sont pas les chambres d'amis qui manquent.

Il n'attend pas ma réponse et crie à deux reprises :

– Jacqueline ! Jacqueline !

Une vieille dame tout essoufflée apparaît et repart aussitôt.

– Depuis la mort de ma pauvre sœur c'est elle qui s'occupe de la maison, me confie Maurice. Malheureusement, elle est un peu sourde.

Maurice me propose du vin, de la bière, mais j'opte pour un cassis. Nous sommes tous les trois assis sous la tonnelle, dans des odeurs de roses et de tabac turc que fume Maurice ; c'est l'arrivée de la nuit après la journée interminable de l'été et les derniers oiseaux se posent en agitant les feuillages d'un bruissement léger. Un hamac est tendu entre les branches d'un saule pleureur, et Maurice m'apprend qu'il y passe ses après-midi, à l'abri du soleil ; il lit des romans démodés qu'il choisit d'après leurs titres. Vu de profil, à contre-jour dans la lumière des lanternes, son visage avec ces lèvres gonflées un peu gourmandes, la délicate élégance de ses gestes, sa manière de parler, de sourire, de remuer ses mains lui donnent une amabilité sereine.

J'y cherche les faiblesses qu'il cache : la vanité, le calcul, la froideur, et je suis ébranlé lorsque je comprends qu'elles sont indécelables. J'ai affaire à un assassin ; un homme plus dur, plus rapide, et peut-être plus intelligent que moi. La dissimulation reste pour lui une seconde nature, comme elle l'a été pour moi des années auparavant.

– Je suis avocat, dis-je répondant à l'une de ses questions.

– En tout cas, tu as gardé ta belle voix. C'est important dans le métier que tu fais, m'assura le curé.

Je juge le moment propice et sors le carnet de ma poche.

– J'aimerais que vous le lisiez, dis-je à Maurice. C'est l'histoire d'un meurtrier qui a échappé à la justice.

Je pose le carnet sur la table près du plateau qui contient nos verres, et du bout des doigts le pousse vers lui.

Maurice me dévisage l'air surpris, et je le vois remuer les lèvres comme pour parler, mais il garde le silence. Dans ses yeux, sur son front, je veux lire la même froide cruauté qui s'est peinte sur son visage quand il a tué Lucie ; j'aurais voulu qu'il me demandât aussi, de sa voix un peu lointaine : « Comment sais-tu ? Comment as-tu deviné ? »

Mais il continue de me fixer avec une affectueuse pitié, comme s'il a compris mon amertume.

– Lisez-le tout de suite, exigeai-je, pour que nous en discutions pendant le repas.

Le curé frissonne et s'enveloppe dans son écharpe de laine grise.

– J'espère, mon petit Daniel que tu n'es pas venu nous parler de la guerre, soupira-t-il.

– Je ne vous parlerai pas de la guerre, répondis-je, je vous parlerai du meurtre de Lucie.

Je m'étais promis de surprendre chez Maurice, en le questionnant sur le contenu du carnet, un

geste, une parole qui m'aurait révélé son visage secret. Au lieu de quoi, je me mets à parler de Lucie,
de la supplication et du désespoir que j'ai lus sur
sa figure morte, et de lui Maurice, qu'elle appelait
Louis dans son journal, qui était son amant et qui
l'a assassinée.

Je ne connais pas assez Maurice pour le haïr, ma
conscience ne me permet pas de m'arrêter à ce
jugement. Je me suis efforcé de définir les raisons,
les prétextes, et le sens de ses actes, m'essayant à
composer, avec les éléments que j'ai rassemblés
sur lui, un portrait ; une partie de ces éléments pro-
vient du journal de Lucie, l'autre de mon expérience
personnelle quand j'ai découvert moi-même dans
la grange de la mère Mathilde le fond criminel de
sa nature.

Maurice m'écoute sans m'interrompre. Jacqueline
vient annoncer que le dîner est servi mais il ne
bouge pas.

– Il y avait ce caillot comme un gros grumeau, et
le sang, lourd et sombre, qui s'écoulait encore sur
la paille, et le trou sur le côté droit de son crâne...

– Tais-toi, Daniel, dit le curé à voix basse.

Je me sens humilié, plein d'une rancœur triste et
cruelle. Maurice me pose la main sur le bras. La
stupeur se peint sur son visage.

– Je ne suis pas l'homme que Lucie décrit dans
son journal, me dit-il. Comment peux-tu penser
une monstruosité pareille !

Je dégage mon bras, prends le carnet, et cherche le passage qui m'intéresse. Le carnet en contient d'autres, mais celui-là me semble définitif, sans appel.

Louis est pas encore arrivé. Finalement je l'ai aperçu. J'ai remonté ma robe très haut. Mon cœur bat tellement fort que j'ai mal au milieu de la poitrine. Je quitte pas Louis des yeux. En me voyant, il a pas paru à l'aise. J'ai envie de lui dire que je suis pas venue pour faire des histoires ; au contraire. Je sais que c'est dangereux de me montrer par ici mais j'ai pas pu résister. Louis, il est pas vraiment catholique ; il va à la messe pour faire plaisir à l'autre. Elle a de vilains cheveux raides serrés dans une mantille. Sa bouche est trop grande et quand elle sourit ça fait comme une grimace. Louis est passé près de moi et je me suis sentie rougir. Il est en costume et il a ses belles bottines jaunes. J'ai levé les yeux. Je sais qu'il regarde mes jambes ; elles sont minces, pas comme celles de l'autre, celle qui se donne des airs. Ses jambes à elle on dirait des planches. Louis est à moi et on peut pas me le disputer...

En lisant, j'ai la gorge serrée. Je n'ai pas quitté Maurice des yeux, espérant qu'il allait se passer quelque chose. Il reste pensif. Je me demande si je dois relire le passage, quand il paraît se rappeler

ce qu'il a feint de ne pas remarquer sur le moment.

– Les bottines jaunes !

Sa voix est anxieuse et il semble consterné, pris
d'un doute.

– Oui, Maurice, les bottines jaunes. C'est une
preuve irréfutable parce que vous étiez le seul à en
avoir au village.

– Quelles bottines ? demande le curé.

– Mes bottines anglaises, murmure Maurice. Je
les ai toujours.

– Vous l'avez tuée quand elle vous a appris qu'elle
était enceinte, ajouté-je, et vous vous êtes débrouillé
pour faire passer ce meurtre pour une exécution de
la Résistance. C'est la version officielle ; celle que la
police a donnée. Lucie était une sale moucharde,
elle avait vendu aux Allemands Jérôme, le maire,
Odette, et Dieu sait qui encore !

Maurice me prend le carnet des mains. Je le vois
hocher la tête en lisant. Tout à coup il la relève.

– Attends !

Sa voix a pris une note aiguë.

– Elle dit qu'elle est sur les marches de l'église,
un dimanche, quand ce Louis arrive. C'est bien ce
qu'elle a écrit, non ?

– Oui, et alors ? dis-je sèchement.

– L'église, un dimanche, répète-t-il.

Maurice tient quelque chose, je ne sais pas quoi
mais il tient quelque chose. Il se penche vers moi

et je crois discerner du soulagement dans son regard.

– Je n'ai jamais porté ces bottines pour aller à la messe le dimanche. Ce sont mes chaussures de marche, Daniel, mes chaussures de marche ! crie-t-il.

– C'est vrai, dit le curé. Maurice ne serait jamais venu à la messe avec des bottines. Quant à Lucie, je sais qu'elle n'a pas pu dénoncer la famille chez qui elle vivait.

Je me tourne vers lui.

– Pourquoi en êtes-vous si sûr aujourd'hui ? demandé-je d'un ton brusque.

Il lève la main, m'invitant à me calmer. Lorsque j'entends sa phrase, j'ai l'impression que mon estomac se décroche.

– Pas plus aujourd'hui qu'à l'époque, mon petit. Lucie était la fille d'Odette, elle avait le cœur de sa mère et pas celui d'une moucharde.

– Je n'ai rien à voir dans sa mort, ajouta Maurice. Je te le jure, Daniel.

Maurice et le curé me fixent en silence, et au fond de moi je comprends qu'ils disent tous les deux la vérité. À la dernière page du carnet il y a cette photo prise un jour de vendanges où l'on voit Maurice porter ses bottines, celles qu'il avait achetées à Londres avant la guerre, et je n'ai jamais oublié la conversation entre Marie et Odette le jour où elles ont caché mon père : « Quand est-ce que tu vas te décider à dire à Lucie la vérité ? Elle comprendra, je t'assure. Il vaut mieux qu'elle sache. Après tout... », avait dit Marie, et Odette avait répondu : « Tu es folle ! Ce n'est pas le moment. On a suffisamment d'ennuis comme ça. »

XXII

Plus tard, Maurice m'a conduit à ma chambre et, après avoir éteint la lumière, je me suis mis à la fenêtre. Je laisse mon regard errer sur la campagne, le ciel ressemble à un papier de soie, et je respire l'odeur de la terre. C'est une odeur sèche et douce ; l'odeur des jours anciens. Par-dessus la légère ivresse que m'a donnée le vin, je considère les sentiments que j'ai dû susciter en faisant preuve d'un jugement précipité. Je ne suis pas fier ; un sentiment de malaise s'insinue dans mes pensées, je me mets alors à songer à Odette.

Elle avait croisé cet homme à plusieurs reprises, m'a dit le curé qui pour une unique fois a enfreint le secret de la confession. Quand il la rencontrait, l'homme, un journalier, soulevait son chapeau d'une manière très aimable. Un jour, elle avait trouvé un mot glissé sous la porte de sa mercerie. Il lui disait qu'il l'aimait, et qu'il guettait son passage pour se trouver sur son chemin. Naturellement, Odette

n'avait pas répondu, mais elle s'était sentie flattée.
Le lendemain, il y avait une nouvelle lettre, et
chaque jour qui suivit. Enfin, il l'avait suppliée de
venir le retrouver un soir, vers 9 ou 10 heures, dans
la masure qu'il occupait à un ou deux kilomètres
du village. Pour la première fois on lui faisait la
cour et, bravant ses propres interdits, pour la première fois elle se rendait à un rendez-vous. La fatalité, disait-elle. Un jour, le journalier était parti.
C'était un homme au nom imprononçable, un
homme entre deux âges qui venait du Nord, n'ayant
pas plus de quarante ans. Il avait des cheveux
sombres déjà grisonnants sur les tempes, des lèvres
minces, et des yeux extraordinairement noirs.
Odette ne se souvenait pas d'autre chose, et puis
elle était devenue pâle et abattue, et elle craignait
par-dessus tout que le vieil Henri ne découvre son
état, et elle craignait la malveillance des gens du
village. Alors, après sa tentative d'avortement, sa
sœur Marie l'avait menacée, et elle était partie
pour Dieu sait où, à l'est, disait-elle, et elle était revenue quelques mois après. Elle avait enfanté dans
la douleur mais elle ne voulait nourrir cet enfant ni
de son sang, ni de son lait. Elle l'avait confié à un
couple de vieux qui l'avaient peut-être accueillie
pendant sa grossesse, à l'est, et les vieux avaient
fini par mourir et Odette s'était enfin décidée à
prendre cette fille qui pour elle n'était sûrement
pas un don du ciel.

Je n'avais pas imaginé Odette sous ce jour-là. J'ai découvert chez elle une zone obscure et profonde que je n'avais jamais vraiment soupçonnée ; un inaccessible enfer d'où avait dû monter de temps à autre une lueur que j'étais trop jeune pour entrevoir.

Épuisé, j'ai fini par me jeter sur mon lit. Je me suis endormi, dans un état de confusion extrême, et suis passé du rêve à la réalité comme il arrive quand on est tourmenté.

Je ne parviens pas à démêler mes pensées ; l'obscurité, la chaleur remplissent la pièce, et je me débats en m'enlisant petit à petit. Lucie est là, dans la pièce, avec son horrible blessure à la tête souillée de paille et de sang, et pourtant elle est vivante et s'avance lentement vers mon lit. Elle s'arrête. Mais au bout d'un moment elle recommence à s'approcher et je m'entends lui crier : « Va-t'en ! Va-t'en ! » J'ai peur. J'ouvre les yeux, et je me retrouve à tâtonner dans le noir pour trouver le bouton de la lampe de chevet.

La chambre est vide. Je descends de mon lit. Je vais dans la salle de bains, bois un verre d'eau, puis je traverse la maison pour sortir dans le jardin. La nuit est claire, les feuillages silencieux, le ciel parcouru de traînées lumineuses. Je retourne me coucher. Ma tête me fait mal ; je suis trempé de sueur. Et brusquement, je m'endors.

Or, voici que de nouveau une silhouette se tient dans la chambre. La pièce est baignée d'une lumière incertaine, et je reconnais l'armoire, et la commode sur laquelle sont posés une cuvette et un broc en faïence, et le papier peint où se répètent sans fin les mêmes petites fleurs. La silhouette émerge avec lenteur du halo blanchâtre. C'est Hélène. Elle me fait signe. Je ne suis pas complètement éveillé, mais je me lève et pieds nus je la suis. Quand je sors dans le jardin, je vois qu'elle me désigne un cadavre qui gît sur le dos dans une flaque sombre, la tête reposant sur une plate-bande. Je m'approche du corps dont le ventre est crevé et le visage décomposé. La puanteur est grasse, dense et, à cet instant précis, un oiseau noir sort du ventre et s'envole, silencieux et lent. Je vois son œil dilaté qui brille, humide et rond. Effrayé, je ferme les yeux et quand je les ouvre à nouveau l'aube est là.

Une appréhension qui semble la continuation de ce rêve dont je ne saisis pas le sens m'oppresse. Je me lève, prends une douche, me lave les dents, m'habille, et vais m'installer dans le hamac avec le carnet.

Si Maurice n'est pas Louis, qui est Louis ? Ai-je regardé dans la mauvaise direction, mal interprété ce que Lucie raconte ? Sait-elle pour Odette ? A-t-elle vendu une famille qu'elle haïssait plus encore que les Boches ? Dans ce cas pourquoi Jérôme ? Et pourquoi le maire ? Que viennent faire les bottines jaunes de Maurice dans l'histoire ?

Au fur et à mesure que le soleil monte et que les oiseaux commencent à chanter, je continue à chercher, à fouiller ma mémoire à la recherche d'un souvenir, d'une image. Cela fait si longtemps, et l'amertume de n'avoir rien trouvé, de m'être fourvoyé dans une fausse accusation me serre le cœur. Rien n'a commencé, mais tout semble déjà fini. Je me rappelle les yeux de Lucie, son regard. Que communiquaient-ils ? Me suis-je à ce point trompé sur elle, sur les causes et les raisons de sa mort ?

Je relis la fin, examine la photo collée à la dernière page. C'est alors que je trouve. Au début l'idée me paraît sans consistance, dépourvue de contours précis. Je la retourne dans ma tête, l'examine sous tous les aspects possibles, assemblant les fragments que j'ai ignorés, et peu à peu, presque mécaniquement, elle se met à vivre avec ses couleurs et ses personnages, ses haines et ses secrets, et elle devient claire, puis elle se dilate, m'envahit l'esprit, et m'entraîne vers ce qu'il est convenu d'appeler la vérité.

XXIII

J<small>E REGARDE</small> H<small>ÉLÈNE</small> <small>BOUCHE BÉE</small>, le souffle coupé. Elle semble aussi surprise que moi. Je ne me décide pas à parler. Hélène m'observe avec inquiétude.

– Quelque chose ne va pas ? J'espère que vous n'êtes pas venu m'annoncer que vous repartez ?

Je secoue la tête. Je crois un instant m'être trompé d'adresse, mais Maurice m'a fait un croquis et c'est la seule « demeure » au bout du chemin privé.

– Je suis venu voir le docteur, dis-je d'une voix mal assurée.

– Vous êtes malade ? me demande-t-elle.

Un rayon de soleil éclaire son visage et je vois dans ses yeux une sorte de nuage pâle et trouble. Elle relève ses cheveux des deux mains, les ramasse vers l'arrière, et les noue en leur imprimant une torsade découvrant sa nuque. Dans le creux de sa gorge, une petite dépression bat, faible, rapide. Hélène est encore plus attirante que dans mon souvenir de la veille.

– Non, fais-je.

– Tant mieux, dit-elle. Mon père ne consulte plus depuis longtemps.

– Votre père ?

– Oui.

Elle a l'air déroutée par ma stupéfaction. Je mets quelques secondes à me ressaisir.

– Je ne savais pas. J'ai connu votre père il y a bien longtemps et je tenais à prendre de ses nouvelles. Vous voulez lui dire que Daniel Descamps est là ?

Les mots m'étranglent. Hélène s'écarte et ouvre le battant de la porte.

– Entrez, dit-elle avec un sourire.

Je la suis. Elle a une robe imprimée qui lui donne un air de petite fille.

– Je suis terriblement inquiète à son sujet, me confia-t-elle très doucement. Il ne va pas bien et il ne veut pas le montrer.

Elle m'entraîne jusqu'à une porte-fenêtre qui donne sur un immense jardin enclos d'une haie touffue. Elle s'arrête sur le seuil et me fixe.

– Vous avez l'air étrange. Vous n'êtes plus le même.

– Ça doit être la lumière, dis-je avec un sourire crispé.

– Je ne savais pas que vous connaissiez mon père, me lance-t-elle avant de s'éloigner vers un large parasol à rayures planté au milieu d'une pelouse.

À présent, le courage me manque, non pas à cause de moi-même, mais d'Hélène. Certes, je pourrais partir et en rester là, mais le souvenir de mon rêve la nuit précédente se mêle à mes pensées avec une sorte d'obsession morbide. Je jette un regard autour de moi. Des meubles cirés luisent sous des tableaux aux cadres dorés. La pièce dégage une impression de bien-être et d'ordre. Il y a de profonds fauteuils en cuir, des lampes aux abat-jour striés de veinules sombres, et au fond de la pièce deux canapés recouverts de toile blanche ; un coin est occupé par un secrétaire noir incrusté de nacre. Les tapis chinois sont anciens et moelleux ; les reflets du soleil éclairent des dragons verts sur un fond safran.

– Il vous attend, m'annonce Hélène.

Elle se tient à l'extérieur, la tête penchée sur son épaule, les mains sur les hanches.

– Je vous accompagne, ajoute-t-elle.

Une tiède odeur de fleurs monte du jardin, mêlée à celle d'Hélène qui marche devant moi.

Le docteur est allongé sur une chaise longue. En découvrant son visage, j'éprouve un sentiment bizarre. Je n'ai pas l'impression d'une figure nouvelle ; il me semble l'avoir déjà vu, je ne sais plus ni où ni quand. C'est un vieillard, presque chauve, les joues piquées d'une mauvaise barbe. Il a des paupières très blanches, collées à ses verres de lunettes, et les yeux fixes comme des yeux d'aveugle.

Il me regarde longtemps en silence, puis dit à voix basse :

– Assieds-toi, Paul.

– C'est Daniel ou Paul ? s'exclame Hélène.

Je ne trouve rien à dire.

– Laisse-nous, Hélène, dit calmement le docteur.

Elle semble hésiter.

– Mon père me traite abominablement, dit-elle en l'embrassant sur le front.

Elle me regarde, a un sourire innocent et s'éloigne. Je n'ose pas la suivre des yeux.

– Tu as mis le temps, me dit le docteur après que je me fus assis.

– Trois ans. Et vous ? Pourquoi avez-vous attendu si longtemps avant de m'envoyer le carnet ?

Il esquisse un sourire.

– J'ai attendu d'être sûr de ma maladie, de me savoir condamné à mort.

Il me dit qu'il ne peut pas dormir, qu'il passe ses nuits dans une veille angoissante à écouter les bruits de la nuit. Il souffre, malgré la morphine.

– Qu'est-ce que tu veux savoir ?

– La vérité, dis-je. La vérité tout entière, pas une partie.

– Je veux être enterré au fond de ce jardin, là où j'ai vécu heureux.

Il fixe le paysage comme s'il voulait se le rappeler pour l'éternité. Je m'entends prononcer :

– Même dans la mort vous allez encore vous en tirer. Au lieu des oiseaux, des arbres et des fleurs, c'est dans une fosse commune qu'on devrait jeter votre corps.

Il paraît désappointé par ma réaction. Je suis sur le point de lui poser la question qui, depuis quelques instants, me brûle les lèvres, quand il me demande :

– Tu es allé voir Maurice ?

Je voudrais ne pas lui répondre. J'éprouve une espèce de gêne douloureuse, et je hoche la tête, je hoche lentement la tête en le regardant fixement.

– Quand as-tu compris, Paul ?

– Ce matin.

Il y a un moment de silence, comme si chacun de nous voyait ses souvenirs se mouvoir et sortir en pleine lumière comme des monstres d'un temps révolu.

Je lève les yeux. Je vois par-dessus la haie s'étendre les collines, et nichée entre elles la tache verte du bois des marronniers.

– Il n'y a jamais eu de Louis, murmurai-je. C'est ça ?

Le docteur demeure immobile, regardant droit devant lui, mais je vois ses doigts maigres agripper le bois de la chaise longue.

– Non, dit le docteur, il n'y a jamais eu personne.

– Odette, c'était bien vous ?

Je retiens ma respiration.

– Oui, dit-il.

Sa réponse me secoue comme une décharge de chevrotines. Une envie de vomir me prend, un voile brouille mes yeux. Je ne peux retenir mes larmes ; j'éprouve du mépris pour lui, du dégoût, mais aussi une tristesse désespérée au souvenir de ce qu'il a fait pour moi : il m'a soigné, il n'a pas trahi mon secret et je sais qu'il en a aidé d'autres, beaucoup d'autres, et qu'on l'a décoré.

J'ai envie de m'enfuir mais je me force à chercher son regard. Sur ses pommettes et son front la peau est tendue, presque transparente ; derrière ses lunettes ses yeux sont humides, bordés de rouge.

– Jérôme et le maire aussi, ajoute-t-il.

Sa voix est lasse, sans timbre ni émotion. On dirait qu'il prononce ces mots comme un accusé avoue ses crimes, pour fuir les questions et se réfugier dans le silence.

– Pourquoi ? dis-je violemment. Pourquoi ?

À cet instant, je le vois tourner légèrement la tête et j'aperçois une femme venir dans notre direction, un plateau dans les mains.

– Pour elle, dit-il doucement.

Je la reconnais immédiatement. Elle est encore très jolie. Ses joues sont pleines, ses yeux vifs et sans cernes, son nez délicat, et ses lèvres rouges et fermes.

– Comment allez-vous, Daniel ? fait-elle en posant sur la table ronde le plateau qui contient deux verres de citronnade et un flacon de pilules.

– C'est l'heure de son médicament, ajoute-t-elle, comme si elle s'excuse d'avoir interrompu notre aparté.

Elle me tend un verre puis s'occupe du docteur. Il avale ses pilules en toussant et s'essuie les lèvres du revers de la main. Elle se retourne lentement et me sourit.

– Ma fille m'a dit que vous vous étiez rencontrés hier au café. C'est gentil d'être venu voir mon mari.

Je lui rends son sourire. Le verre tremble dans ma main. Elle s'éloigne. Ses hanches sont toujours minces et sa démarche élégante.

Le docteur s'est débarrassé de Marcel Grau pour lui prendre sa femme et son argent. Il suffit de voir la manière dont il fixe Josette sur la photo prise le jour des vendanges. C'est aussi simple que ça. J'ai du mal à comprendre pourquoi je n'ai déchiffré la nature de ce regard que ce matin.

– Comment avez-vous pu faire une chose pareille !

J'étouffe. La sueur coule sur mon front et j'ai un goût amer sur la langue.

– C'est un peu plus compliqué, dit le docteur.

– Je ne vous crois pas.

– Quel imbécile tu fais ! dit-il, la bouche durcie. Un vrai gosse. Écoute-moi et rassemble tes souvenirs ! Tu te souviens de François, le facteur ?

J'entends résonner dans ma tête la voix aigre et triste du facteur : sa femme, il avait mis longtemps à le découvrir, avait plusieurs visages ; il me disait qu'elle en avait un pour chaque homme qui s'allongeait à ses pieds, lui compris, et plus il y en avait, mieux c'était.

Le docteur parle, d'une voix basse, haletante. Il a les yeux fermés et une légère rougeur a envahi son front.

– Quand j'ai connu Josette à Bordeaux elle n'était pas encore mariée. Elle et moi nous avons été saisis au premier regard. Mais Josette ne pouvait pas se contenter de ce que je lui offrais ; elle aimait les toilettes, elle adorait sortir, danser – elle dansait divinement – et je ne gagnais pas beaucoup d'argent. Puis, je l'ai présentée à François dont je venais de faire la connaissance et elle lui a sauté au cou. Il était riche, elle flattée qu'il l'ait remarquée. Il était prêt à satisfaire ses caprices, elle l'a épousé, mais nous avons continué à nous voir, à nous aimer. Un jour, j'en ai eu assez de cette situation et je lui ai demandé de le quitter. Je ne pensais pas qu'elle accepterait mais elle l'a fait et elle a même demandé le divorce. François, lui, ne savait pas que c'était pour moi que sa femme était partie. Il venait me voir pour avoir des informations sur elle – je les avais présentés, j'étais l'ancien ami de Josette. Il était blessé dans son orgueil de riche, et si effondré que je me sentais incapable de lui dire la vérité. Josette, elle, n'en pouvait plus : François traînait dans tous les endroits où elle aurait voulu se montrer.

Nous avons décidé de quitter Bordeaux et d'aller à Paris.

Il boit une gorgée de citronnade, et se recroqueville sur sa chaise longue. Il a une curieuse expression sur le visage.

– Nous n'étions toujours pas mariés, et lorsque Hélène est née les ennuis ont repris. Paris ! Tu penses bien que pour tourner autour de Josette ce n'était pas les hommes qui manquaient. Moi, j'avais un petit cabinet dans le quatorzième arrondissement et je n'ai jamais été doué pour les affaires ; Josette, elle, avait trouvé une bonne place dans une affaire de négociants en vins. On ne roulait pas sur l'or mais on avait des projets. Un matin, Marcel Grau a débarqué de son trou chez le négociant et il est tombé fou amoureux de Josette. Elle lui a caché que nous vivions ensemble et que nous avions une fille ; Marcel lui a offert de l'épouser et elle a dit oui. À l'époque, c'était ça Josette ; je devais en passer par où elle voulait pour la garder. J'ai mis Hélène en nourrice et je suis venu m'installer au village. C'était plus difficile de renoncer à elle qu'à la vie. La guerre est arrivée mais elle a duré trop longtemps. Il a fallu que cet imbécile de Marcel se mêle de faire de la résistance sans que personne ne lui demande rien ! Je l'ai mis en garde. Il ne m'a pas écouté et il a fait jouer des relations. Il devait penser qu'une fois la guerre finie il pourrait prétendre que ses affaires avec les Boches lui avaient servi de couverture... Tu crois qu'il m'a laissé le choix ! C'était une question de temps ; pas d'années ou de mois, mais de semaines avant que la Gestapo ou les S.S. ne lui tombent dessus. Ils ne lui auraient pas fait de cadeaux et ils se seraient occupés de Josette. Arrêtée, torturée, envoyée dans un bordel militaire ; voilà ce qu'ils étaient capables de lui faire. Josette, c'était la femme de ma vie, et sans elle la mienne aurait été pitoyable... Oh ! Je sais ce que tu vas me dire ! Oui, je pensais à moi, et à Josette, et aussi à notre fille, alors j'ai pris les devants et je suis allé voir Wölk avec une proposition : deux noms contre l'assurance que, quoi qu'il arrive au village, ils ficheraient la paix à Josette. Les S.S. me connaissaient bien, c'est moi qu'ils avaient chargé d'examiner ceux qui partaient au travail obligatoire. Wölk a souri quand je lui ai donné le nom de Marcel et il a accepté. Il m'a dit qu'il était sentimental et sensible comme tous les Allemands, et comme le peuple allemand qui était le plus romantique et le plus civilisé du monde. Je savais qu'il ne s'arrêterait pas là, qu'il reviendrait à la charge et exigerait d'autres noms. Je ne pouvais que gagner du temps, et sauver ceux que je pouvais sauver...

Je l'observe tandis qu'il parle. Il a deux cernes livides sous les verres de ses lunettes, et le menton qui tremble. J'ai l'impression qu'il a cessé de respirer. Une fatalité a enchaîné le docteur à Josette, et je me souviens d'Otto Wölk, de son visage glabre et coupant, et de la lueur dans ses yeux gris sale.

– Un après-midi, Wölk m'a fait chercher. Il était enragé. Les S.S. avaient appris que la Résistance montait une opération de diversion et Wölk voulait savoir ce que ça cachait. Les S.S. étaient prêts à tout pour que leurs dépôts de munitions ne soient pas découverts. C'était des renseignements précis qu'il exigeait, ou le peloton d'exécution pour Josette... Je lui ai donné Odette et son groupe et il m'a donné sa parole d'officier allemand qu'après il me ficherait la paix. Il l'a tenue.

Je me rends compte que la guerre n'a jamais mangé les cadavres ; elle a dévoré les vivants, et elle continue de le faire. Les pensées, les sentiments, les actes, les secrets que le docteur a gardés dans un coin obscur de sa mémoire sortent des ténèbres. À présent, l'envie le prend de tout me raconter pour me prouver qu'il n'est pas le seul à avoir agi de la sorte. Peut-être est-ce l'excuse qu'il a gardée pour adoucir le poison de sa propre confession.

– Un jour, François a débarqué au village. Il n'a jamais voulu me dire comment il avait retrouvé Josette. Il ne m'en voulait pas ; il n'avait rien compris : pour lui j'avais moi aussi perdu Josette, et j'étais là pour respirer son ombre. Il est allé pleurnicher chez elle un soir où Marcel était absent et il a fini par l'apitoyer. Elle a parlé à Marcel et il lui a trouvé cet emploi de facteur. Du moment qu'il pouvait l'apercevoir, il se résignait à ce croupissement et à cette détresse... jusqu'au jour où... il m'a apporté le carnet de Lucie et m'a parlé de la lettre qu'elle lui avait donnée pour Maurice. François l'avait ouverte ; Lucie écrivait à Maurice comme s'il était son amant. Était-elle folle vraiment ? Je ne peux pas te le dire. Je crois plutôt qu'elle pleurait sa misère et sa solitude à sa façon. Elle faisait des efforts d'imagination ; c'était sa manière de refuser la guerre, les absurdités, la mort. Elle passait son temps à surveiller la maison de Maurice et elle a dû voir Josette y entrer plus d'une fois. Elle s'est mise en tête que Josette et Maurice étaient amants, qu'ils avaient dénoncé Marcel et son neveu pour avoir les mains libres à la fin de la guerre. François disait que dans sa lettre elle menaçait Maurice de tout révéler s'il ne s'occupait pas d'elle. Ce que François et elle ignoraient, c'est que c'est moi que Josette venait retrouver chez Maurice. Je passais par un trou dans la clôture, de l'autre côté de la rue. Ce crétin de François a cru aux menaces, il est devenu inquiet comme un animal, et il a décidé de faire taire la gamine une fois pour toutes afin que Josette n'ait pas d'histoires avec la Résistance.

Je n'en peux plus. J'éprouve tant de rancœur et de dégoût.

– Et vous l'avez couvert ! Vous avez fait courir le bruit que c'était elle qui avait dénoncé tout le monde, et vous vous êtes du même coup absous de vos saloperies.

Que me cache-t-il encore ? Peut-être est-ce la même histoire pour tous ceux que j'ai connus au village !

Je me lève et pose le carnet sur la table. Lucie est morte, le facteur aussi, et le docteur avec sa chair jaunie qui lui tient à peine au corps est méconnaissable. J'en ai assez de leurs sales souvenirs ; il n'y a pas de raison que ça s'arrête, il était temps d'en finir.

Mais il me reste une question à poser au docteur.

– Josette n'a jamais rien su, dit-il, comme s'il lisait dans mes pensées.

Je n'ai plus rien à ajouter. Le docteur ne me quitte pas des yeux. Je devine dans son regard qu'il n'a pas terminé, qu'il a gardé pour la fin la raison pour laquelle il m'a envoyé le carnet.

– Ma femme est juive, Paul, murmure-t-il.

Je l'abandonne et retourne vers la maison. La tête me tourne et je m'arrête un instant. Je ferme les yeux. Quand je les rouvre, je vois Hélène venir à ma rencontre.

– Je n'ai jamais vu mon père aussi bavard, vous deviez avoir un tas de choses à vous raconter, non ?

– Un tas, dis-je en respirant profondément.

Je la regarde avec étonnement et un peu d'incrédulité. La nature recommence à faire entendre sa voix familière ; le ciel, les arbres, les oiseaux qui volettent : tout revient à l'ordre de naguère, à l'harmonie d'avant ; mon cœur s'allège de la ruine et du deuil qui l'emplissaient. Par sa seule présence Hélène a chassé ces voix terribles et délirantes du passé.

– Vous êtes toujours d'accord pour le pique-nique ? me demande-t-elle inquiète.

– Je n'ai pas l'intention de me dérober, dis-je en m'inclinant légèrement.

Elle demeure songeuse, une lueur malicieuse et secrète au fond des yeux.

– C'est Daniel ou Paul ? dit-elle.

Je secoue la tête.

– P'tit Paul.

Elle paraît ravie et me tend la main.

– Tu viens, P'tit Paul, dit-elle doucement.

Dans la même collection

Les textes de la collection Terre de poche nourrissent la mémoire collective à travers des histoires fortes, des récits de voyage, des documents historiques ou des chroniques intimes.

AGUILLON Arlette
La Maîtresse du moulin
Le Puits aux frelons

ALIA Josette
Le Pensionnat

AMOUROUX Henri
La Vie des Français
sous l'Occupation

ANGLADE Jean
Le Chien du Seigneur
Le Pain de Lamirand

AUBARBIER Jean-Luc
Les Démons de sœur
Philomène

AUCOUTURIER Alain
Le Milhar aux guignes

AUDIDIER Robert
Les Sentiers de traverse

AUDOUX Marguerite
Marie-Claire

AUJOULAT Noël
Le Village perdu

BATUT Maryse
Les Monvalan

BELARD Paul
Moissons d'enfance

BESSON André
Folle avoine
La Grotte aux loups

BOBECHE Adrien
La Fille de la meunière

BORDES Gilbert
Le Chat derrière la vitre

BOUCHET Maurice
La Fille du pertuis
Les Souliers ferrés

BOUDOU Josette
La Maison d'école
Les Grillons du fournil

BOURRET Johan
Dans la gueule du loup
Sœur Charité

BOUSSUGE Micheline
La Maison d'Anaïs

BRIAND Charles
Le Seigneur de Farguevieille

CABROL Laurent
L'Enfant de la Montagne noire

CAPPEAU Marie-Nicole
Chantemerle
La Mule blanche

CASTELAIN
Anne-Marie
Les Amours de Louise
Le Loup du marais

CHALAYER Maurice
Un buisson d'aubépine

CHAUVIGNE Jean
Le Secret de Marie

CLEMENT-MAINARD
Michelle
La Foire aux mules
La Fourche à loup

COMBE Rose
Le Mile des Garret

CORNAILLE Didier
Le Forgeron d'Eden
Le Vent des libertés soulevait la terre
Le Vol de la buse
Les Gens du pays

COSMOS Jean
La Dictée

DE MAXIMY Hubert
Le Bâtard du Bois noir

DE MAXIMY René
La Ferme des neuf chemins
Le Puits aux corbeaux

DE PALET Marie
La Tondue
Les Terres bleues
Retour à la terre

DECK Olivier
Cancans
L'Auberge des Charmilles
La Neige éternelle
Les Chopines
Les Rumeurs du Gave

DEFAY Renée
*Tes petits pieds dans
la trace de mes sabots*

DELPASTRE Marcelle
Les Chemins creux
Cinq heures du soir

DESVIGNES Lucette
Le Miel de l'aube

DIMITRIADIS Dicta
Le Nid de la hulotte

DODANE Michel
*Les Enfants de la
Vouivre*

*Les Enfants de la Vouivre
- Les Herbes noires*
*Les Enfants de la Vouivre
- La Malédiction des
Mouthier*

DOURIAUX Hugues
Le Clos des grognards
Le Temps des loups

DUBOIS Yvonne
Couleur de terroir
La Vallée des cyclamens

DUFOUR Hortense
Au vent fou de l'esprit
Ce que l'océan ne dit pas
La Fille du saulnier
Le Bois des abeilles

DUPUY Daniel
Fontcouverte
Les quatre Jeudis

DUTRONC Robert
La Maison des Chailloux

EXBRAYAT Charles
Rachel et ses amours

FABRE Jean-Luc
L'Eté des Fontanilles

FEUILLERAT André
La Clef des champs

FRONTENAC Yvette
L'Etoile rousse
La Demoiselle
du presbytère
Les Années châtaignes

GAGNON-
THIBAUDEAU Marthe
La Boiteuse

GALONI Pierre
Le Pitaud

GAMARRA Pierre
Le Maître d'école

GENEVOIX Maurice
Le Jardin dans l'île

GERAUD Roger
Le Pré derrière la grange
Les Vaches rouges

GIMBERT Yveline
L'Ombre des chênes

GLEIZE Georges-Patrick
La Vie en plus
Le Chemin de Peyreblanque
Le Destin de Marthe Rivière
Le Sentier des pastelliers
Le Temps en héritage

GRIFFON Robert
Au bonheur du pain
Le Bedeau de la République
Le dernier Forgeron

HEURTE Yves
Le Pas du loup

JAILLER Isabelle
La Ferme des hautes terres

JEURY Michel
La Classe du brevet
Le Crêt de Fonbelle

JUDENNE Roger
Drôle de moisson
La Maison d'en face
Les bons Jours

JULIEN Henri
La Bâtisse aux amandiers

LABORIE Christian
L'Appel des drailles
L'Arbre à pain
L'Arbre d'or
Le Brouillard de l'aube

LACOMBE Michel
Les Brûlots de paille

LAFAYE Claude
La Maison de l'espoir

LARDREAU Suzanne
Orgueilleuse

LAURENT Jean-Paul
L'autre Montagne
La Ferme aux loups

LAVAL Henri
Le Chemin des souvenirs

LEMAIRE Philippe
Le Chemin de poussière
Les Vendanges de Lison

LIMOUZIN René
Les Cèpes de la colère

LOUTY Pierre
Léonard, le dernier
coupeur de ronces
Les Fiancés de la Briance

MAGNON Jean-Louis
Les Hommes du canal

MALROUX Antonin
La dernière Estive
La Noisetière
Le Soleil de Monédière
Un fils pour mes terres

MAMERE Noël
Gens de Garonne
- Les Forçats de la mer
Gens de Garonne
- Le Combat des humbles
Gens de Garonne
- La Malédiction des justes

MAZEAU Jacques
De l'autre côté
de la rivière
La Ferme d'en bas
La Malédiction
de Bellary
La Rumeur du soir

Imprimé en U.E.
Dépôt légal : avril 2013
ISBN : 978-2-8129-0722-2